KB095955

오늘만큼은
내 편이 되어주기로 했다

오늘만큼은
내 편이 되어주기로 했다

권민창 에세이

STUDIO:ODR

작가의 말

그런 적이 있었다.

누군가 새로운 도전을 한다고 했을 때, 결심에 이르기까지 어렵게 냈을 용기에 박수를 보내기보다 무모함에 연민을 먼저 보냈던 적.

내심 그가 잘 안 되기를 바랐다. 바다에서 짠 물을 잔뜩 마시고 돌아와 "내가 나가봤는데 이 우물이 최고야. 바닷물은 우리가 마실 수 있는 물이 아니야"라고 말해주기를 바랐다. 내가 바닷물에서 더 건강하게 살 수 있는 물고기인지 아닌지도 모른 채.

10년 가까이 다니던 안정적인 직장을 퇴사하고 나서야 비로소 세상이라는 바다에 던져졌다. 매달 10일이면 꼬박꼬박 통장에 꽂히던 숫자가 자취를 감췄고, 대출 심사도 무척 까다로워졌다. 직접 먹이를 찾으러 다니지 않아도, 위험 부담 없이 주어진 일만 해도 일정량의 식량을 공급받던 그때와는 달리 이제는 내가 직접 사냥터로 나가 먹이를 잡아와야 한다. 선택의 문제가 아니라 생존의 문제이기에.

퇴사 후의 삶을 지지해주고 존중해주는 사람보다 무모함에 연민을 보내는 사람이 많았다. 내가 예전에 그랬던 것처럼.

물질적인 도움은 바라지도 않았다. "할 수 있어. 지금까지 열심히 해왔잖아. 난 너 하나도 걱정 안 해"라는 말 한마디면 되는데.

"정신 차려. 세상이 네 맘처럼 호락호락하지 않아."

"그렇게 해서 어쩌려고? 그게 되겠어?"

그런 사람들은 유용한 정보를 주며 독려하기보다 불안정한 현실을 마주하게 만든다. 자신이 겪어보지 않은 일인데도 상관없는 경험을 들이밀며 훈계를 하려 한다.

나는 힘들고 지칠 땐 외할머니와 나눈 문자를 본다.

맞춤법이 틀렸더라도 진심은 옳다.

누군가가 새로운 도전을 할 때는, 조언을 준답시고 설교를 늘어놓기보다는 이 한마디만 해주면 좋겠다.

"나는 너 믿는다. 네가 옳다. 지금까지 잘해왔고, 앞으로도 잘할 거다."

잘 먹고 다니고 있습니다!

그래 머든지 끼니는 거르면 안댄다 꼭먹고 다녀라

3월 1일

네, 감사합니다 외할머니 ^^

건강 조심하세요!

민창아 멧세지 조서 고맙다 건강해라

3월 9일

민창아 너가 준책두건을 감명깁게 읽었다 참 우리
손주대단 하다 온 친구들에게 자랑하며 비려좋단다
너 마음대로

기새를 펴 보아라

. 자랑스럽 구나

감사합니다, 외할머니. 읽어주셔서.

할머니가 재밌게 읽어주셔서 제 책이 다시
태어난 것 같아요^^

차례

Chapter 1

우리의 품격을 결정하는 말과 글

Chapter 2

사랑은 시간을 쓰고 싶어지는 일

Chapter 3

그 사람, 억지로 견디지 않으려고요

Chapter 4

그럴듯한 마침표보다는 행복한 쉼표를

"야, 난 더해."
누군가에게 고민을 어렵사리 털어놓았을 때
이런 말을 듣는다면, 그 대화의 자리는 더 이상
서로의 아픔에 공감하는 장소가 아니라
누가 더 힘든지 겨루는 경연장이 되어버립니다.

Chapter 1

우리의 품격을 결정하는 말과 글

실수를 인정할 때
마음이 열린다

친한 동생과 사당역 근처에서 찜닭을 먹은 적이 있습니다. 치즈찜닭이 인기 메뉴인지 다른 손님들은 대부분 치즈찜닭을 먹고 있었지만, 둘 다 치즈를 그렇게 좋아하진 않았기에 기본찜닭을 시켰어요.

주문하면서 사장님이 "치즈 안 먹고?"라고 물으시길래, "네, 그냥 찜닭이요. 치즈 별로 안 좋아해서요!"라고 한 번 더 말씀드렸습니다.

그런데 15분 뒤 나온 찜닭은 기본찜닭이 아니라 치즈찜닭이었습니다.

"어, 사장님. 저희 기본찜닭 시켰는데……."

그러자 사장님의 눈동자가 흔들립니다.

"치즈찜닭이라고 하지 않았나?"

"아, 저희가 치즈 별로 안 좋아해서 그냥 찜닭이라고 말씀드렸었는데……."

그러자 사장님은 혼잣말하듯 "아닌데…… 분명 치즈찜닭 시켰는데"라고 얘기하셨습니다.

저희도 딱히 음식을 가리는 편은 아니라서 치즈찜닭이라 해도 아무렇지 않게 먹을 수 있었지만, 주문을 재차 확인했으면서도 끝까지 실수를 인정하지 않으시는 사장님의 태도가 썩 유쾌하지만은 않았습니다. 그래서 저도 모르게 인상을 찌푸렸나 봅니다. 당혹스러워하는 사장님의 얼굴을 보고 마음이 약해져 말했습니다.

"사장님, 그냥 먹을게요. 괜찮아요."

사장님은 멋쩍은 미소를 지으며 "요즘 젊은 사람들이 치즈찜닭을 많이 시키더라고." 하면서 주방으로 들어가셨습니다.

사실 별문제 될 만한 상황은 아니었어요.

저나 동생이나 기본찜닭을 더 선호할 뿐이지 까다로운 입맛은 아니라서 치즈도 맛있게 먹을 수 있거든요.

하지만 본인이 잘못 들었다고 인정하지 않고 딴말을 하니 사소한 문제가 괜한 기 싸움으로까지 번질 뻔했던 것 같습니다.

제가 만약 사장님이었다면 이렇게 얘기했을 거예요.

"미안해요. 내가 요즘 정신이 없네. 그런데 이미 요리가 된 상황이라 기본찜닭 가격만 받을 테니 치즈찜닭 한번 먹어보는 건 어때요? 우리 가게 치즈찜닭이 진짜 잘 나가요. 치즈 알레르기 있는 사람도 마파람에 게 눈 감추듯 먹는다니까."

이렇게 사장님이 실수를 순순히 인정하고, 적당한 보상책을 내놓으며 유머러스하게 대화를 마무리했다면 서로 웃으며 끝났을 일이었습니다.

사장님이 배달하러 나가자 안에 계시던 다른 분이 나와 사이다를 주셨습니다. 사모님 같았어요.

"아이고, 주문 잘못 들어갔는데 군말 없이 맛있게 잡수셔서 감사합니다. 요거는 죄송한 의미로 드리는 서비스예요. 그리고 가격은 기본찜닭 가격으로 받을게요. 다시 한번 죄송해요."

약간 께름칙했던 저와 동생도 그제야 표정이 밝아졌습니다.

'그래, 치즈면 어떻고 기본이면 어때. 맛있게 먹으면 되지.'

찜닭을 맛있게 먹고 나와서 같은 상황에서 전혀 다른 대처를 보여줬던 사장님과 사모님에 대해 동생과 얘기를 나눴습니다.

자신의 실수를 인정하고 받아들이는 일에는 무척 큰 용기가 필요합니다. 제가 지금까지 연락하거나 좋은 관계를 유지하는 사람들은 대부분 사과할 줄 알고 자신의 잘못을 인정할 줄 아는 사람들이었어요.

자신이 잘못했다고 느낄 때는 상대방에게 진심으로 나의 감정을 전하는 게 가장 중요합니다. "미안하다", "그건 내 실수야. 얘기해줘서 고마워"라고 말하는 데는 1분도 안 걸리지만 그 말을 함으로써 상대방은 여러분에게 마음을 열게 됩니다.

누군가와 문제가 있고, 그게 내 잘못인 걸 알지만 알량한 자존심 때문에 감정싸움을 하고 있다면 먼저 손을 내밀어보면 어떨까요? 그 손을 상대방도 분명 마주 잡을 거고 그렇게 되면 자존심보다 훨씬 더 소중한 인연과 돈독한 관계를 유지해나갈 수 있을 거예요.

꿈에도 선택과 책임이 따른다

얼마 전 친한 형에게 연락이 왔습니다. 형에게는 터울이 제법 나는 고등학생 여동생이 있습니다. 만나서 얘기를 나누다 보니 형은 여동생을 많이 걱정하고 있었습니다.

"스튜어디스를 하고 싶다는데 어떻게 말려야 할까? 절대 안 된다고, 포기하라고 해도 고집이 너무 세네."

저는 형에게 물어봤습니다.

"형은 왜 동생이 스튜어디스가 되는 걸 말리는 거예요?"

형은 이렇게 대답했습니다.

"아니, 내가 봤을 땐 키도 너무 작고……. 너도 알다시피 스튜디어디스들은 다 키 크잖아. 그리고 경쟁률도 너무 높아서 내 동생은 안 될 거야. 주변에 스튜어디스 준비하다가 떨어진 지인이 있어. 그것만 바라보고 살았는데 몇 번 떨어지더니 지금은 괜히 준비했다며 후회하더라고."

"그러니까 동생이 스튜어디스가 되지 못했을 때 느낄 상실감 때문이죠? 형은 결국 동생을 진심으로 걱정해서 말리는 거네요."

"응, 너무 걱정돼. 너나 나나 살아봐서 알다시피 이놈의 사회가 녹록지 않으니까. 내 동생만은 나처럼 고생 안 했으면 좋겠거든."

저는 이렇게 말을 꺼냈습니다.

"형의 마음 이해해요. 저도 형 같은 가족이 있으면 정말 든든할 거예요. 그런데 저는 동생의 마음도 이해가 가요. 얼마나 대견해요, 어린 나이에 뭔가를 간절히 열망한다는 게. 우리 나이대에도 자기가 뭘 하고 싶은지 모르고 살아가는 사람이 얼마나 많은데요.

그래서 저는 이렇게 말씀드리고 싶어요. 조건을 거는 건 어떨까요? 무한정 지원을 해주거나 아예 단념시키는 방법은 둘 다 좋지 않은 것 같아요.

학원비를 지원해주되 동생에게 학원에 다니는 동안 주중 계획표를 짜라고 해서 매일 그걸 지키게끔 해도 좋고, 학원비를 반반 부담한 뒤 동생이 집안일을 하거나 성적이 오를 때 비용을 조금씩 더 지원해주는 방식을 고려해봐도 좋을 듯해요. 아마 자신의 용돈을 아껴서라도 학원비를 내고 싶어 한다면 정말 간절하기 때문일 거예요.

먼저 형이 걱정하는 부분을 동생에게 솔직히 털어놓아서 동생을 진심으로 염려하고 있다는 사실을 알려주면 좋을 것 같아요. 그리고 어느 정도 타협점을 함께 만들어가면서 조건을 걸고, 그 조건을 충족하지 못했을 시 미련 없이 털고 일어나기로 약속하는 거죠.

가장 중요한 건 그 꿈을 본인이 선택했는지 아닌지의 여부인데요. 조건 없이 지원해주면 나중에 그걸 당연하게 생각할 수 있어요. 반대로 자신의 의지가 아닌 오빠의 압력으로 꿈을 포기하게 된다면 설령 나중에 다른 직업으로 성공한다고 하더라도 오빠를 원망할 수 있어요. 내가 오빠만 아니었으면 지금쯤 하늘을 날고 있었을 텐데, 하면서요.

선택권을 본인에게 주고 그 선택의 책임 또한 본인에게 있다는 사실을 주지시켜주는 게 가장 중요할 듯해요."

그러자 형이 저에게 이렇게 말했습니다.

"고마워. 오늘 너의 조언은 내 동생뿐만 아니라 회사 후배들에게도 해줄 수 있을 것 같아."

저도 형이 동생을 이렇게나 아끼니 동생은 분명 멋진 어른으로 자랄 거라고 대답했습니다.

소중한 사람이 어려운 길을 가려 하거나 중요한 선택을 앞두고 있다면 내 경험에 의거해 반대를 위한 반대를 하기보다는 그게 왜

하고 싶은지, 그걸 위해 무엇을 감수할 수 있는지를 먼저 물어봐야 해요.

그 후에 대화하며 접점을 찾고, 그 선택의 책임이 본인에게 있음을 인지시켜준다면 설령 꿈을 이루지 못하더라도 분명 그 과정에서 많은 걸 느끼고 배울 거예요.

처세술이 뛰어난 사람들의
두 가지 공통점

두 아이를 키우는 친한 누나가 있어요. 대여섯 살 남짓한 아이들이 말도 잘 듣고 말썽도 안 피워서 볼 때마다 신기했는데요. "누나 애들은 다른 애들하고 다르게 말썽을 잘 안 피우는데 비결이 뭐야?"라고 물으면 누나는 "애들이 말을 잘 들어서 그렇지 뭐"라며 웃어넘겼어요.

누나의 아이들과 함께 카페에 간 적이 있습니다. 아이들 중 한 명인 민지가 그날따라 "컵 사줘", "장난감 사줘", "이쁜 인형 사줘"라며 무언가를 사달라고 누나에게 계속 졸랐습니다.

이럴 때 제가 봐왔던 부모의 반응은 대체로 "안 돼! 사람 많은 데서 떼쓰지 마!" 혹은 "저번에도 사줬잖아. 어떻게 매번 사주니?"

라는 식의 '욕구 원천 차단'이었습니다. 그런데 누나는 좀 달랐어요. 아이를 가만히 보고 있다가 이렇게 얘기했습니다.

"그래, 사줄게. 그런데 민지야. 민지가 사달라고 한 것 중에 딱 하나만 민지 생일에 살 수 있어. 잘 골라야 해. 알겠지?"

그러자 떼를 쓰던 민지가 얌전해지며 "응. 알겠어요, 엄마"라고 얘기하더니 조용히 앉아서 곰곰이 생각에 잠겼습니다. 어떤 걸 골라야 할지 우선순위를 정하고 있는 것 같았습니다. 그런데 그 표정이 무척 행복해 보였습니다. 누나는 민지에게 '욕구 원천 차단'보다는 '다른 대안 제시'라는 현명한 방법을 쓴 거죠. 전자의 경우에는 아이의 머릿속에서 '사줘'와 '안 사줘'의 개념이 대립하게 됩니다. 사줘도 본전이고, 안 사주면 사람들이 많은 공공장소에서 아이와 언성을 높이며 싸울 수도 있습니다. 하지만 후자의 방법은 아이의 욕구를 차단하기보다는 다른 대안으로 아이에게 희망을 줍니다. '내가 원하는 것을 사주지 않는다'는 섭섭함보다는 '어떤 걸 골라야 제일 좋을까?' 하는 기대감을 심어주는 거죠.

주변에 처세술이 뛰어난 사람들을 보면 두 가지 공통점이 있습니다. 첫 번째는 상대방의 관점에서 생각한다는 것이고, 두 번째는 항상 마음이 열려있다는 거예요. 상대방이 무엇을 원하는가에 초점을 두고, 열린 마음으로 상대방의 닫힌 마음의 문을 두드립니다. 그러면 굳게 닫혀있을 것만 같던 마음의 문이 따뜻한 노크에 의외로 쉽게 열려 본인도 상대방도 원하는 결과를 얻을 때가 많습니다.

스타 강사 김창옥 교수는 '모국어가 좋은 사람을 만나라'는 이야기를 하더군요. 김창옥 교수가 말하는 '모국어'란 어릴 적 부모가 그 사람을 대했던 말투나 주변 환경으로부터 체득한, 자신에게 가장 익숙한 언어 습관을 뜻합니다. 그래서 상대를 존중하고 배려하는 말투, 타인을 대하는 예의가 기본적으로 좋은 사람을 만나는 게 중요하다는 말입니다. 이런 예의는 하루아침에 만들어지는 게 아니라 오랜 시간에 걸쳐 형성되는 무의식의 영역이기 때문입니다.

처세술, 말 잘하는 법, 인간관계의 기술 같은 것들이 하루아침에 좋아지지는 않습니다. 제일 중요한 건 '아, 나도 저렇게 해야지'라며 잊지 않고 메모하고, 평소에 좋다고 느꼈던 말이나 행동을 의식적으로라도 따라해보는 일이죠. 그렇게 연습한 말들이 자연스럽게 몸에 밴다면 어느 순간 사람들에게 '편안하다, 현명하다, 센스가 있다'는 말을 들을 수 있지 않을까요?

혹시 오늘 기분 안 좋은 일 있으신가요?

독서 모임에서 만난 사람들과 함께 고기를 먹는 자리였습니다. 다들 사이가 좋고 오랜만에 본 터라 분위기가 정말 화기애애했습니다.

그런데 문제가 발생했습니다. 삼겹살을 4인분 먹고 양념갈비를 또 4인분 시킨 후에 삼겹살이 더 맛있어 삼겹살을 추가로 주문하자 사장님이 "그럴 거면 처음부터 삼겹살을 먹을 만큼 시키고 나중에 갈비를 시키지"라며 짜증 섞인 목소리로 저희에게 불평한 것입니다. 아마도 삼겹살을 굽는 판과 양념갈비를 굽는 판이 달라 그걸 바꿔주기가 번거로우셨나 봅니다.

당황한 제가 "네?"라고 반문하자 사장님은 "아니, 삼겹살 먹을 만큼 먹고 갈비 시키면 됐잖아"라고 퉁명스레 대꾸하셨어요. 아무리 귀찮아도 그렇지 너무하다는 생각이 들었습니다. 저희가 진상 짓을 한 것도 아니고 식당에 해가 되는 행동을 한 것도 아니었으니까 말이죠.

슬슬 짜증이 치밀어올랐고, 어떻게 이 사장님한테 따끔히 쏘아붙여야 할까 하는 생각만 들었습니다. 사과를 받는 건 당연하고 면박까지 주고 싶었습니다.

그때 A라는 형이 미소를 지으며 사장님께 부드러운 목소리로 물어봤어요.

"사장님, 혹시 오늘 기분 안 좋은 일 있으신가요?"

그런데 이 말이 사장님을 당황하게 만든 것 같았어요.

갑자기 사장님이 "아니, 기분 안 좋은 일 없는데?"라고 대답하며 허둥지둥 불판을 갈아주더니 나중엔 서비스라고 이것저것 더 챙겨주시더라고요. 자신의 감정을 마주하게 되는 질문을 받으니 자기 객관화가 되었나 봐요.

제가 그 사장님을 면박 준다고 한들 제 기분이 나아졌을까요? 오히려 순간의 화를 이기지 못하고 내뱉은 말이 서로에게 비수를 꽂아 마음의 상처를 더 크게 주고받았을 수도 있습니다. 하지만 그런 극단적인 방식을 취하려 했던 저에게 그 형은 부드러움이 강함을 이긴다는 말의 실례를 보여줬어요.

무작정 화를 참는 것은 분명 우리의 감정에 좋지 않은 영향을 미칩니다. 하지만 그렇다고 상대방의 페이스에 휘말려 화를 분출하면 오히려 상황이 더 나빠질 수 있어요. 그럴 땐 한 발짝 물러나 상대방의 감정을 객관적으로 바라보면 어떨까요? 조금 더 현명하게 상황에 대처할 수 있는 여유가 생길 거예요. 저는 주변의 좋은 사람들 덕분에 지혜롭게 살아가는 방법을 터득하고 있습니다. 여러분도 누군가에게 그런 현명함을 선물해주는 사람이 되길 바랍니다.

불행배틀을 하자고 고민을 털어놓은 게 아닌데

누군가에게 고민을 털어놓는다는 게 결코 쉬운 일은 아닙니다. 따뜻한 위로가 아닌 날 선 충고나 짐작하기 어려운 눈빛에 마음이 다칠 수도 있기 때문입니다.

예전에 누군가가 저에게 인생이나 직장생활에 대한 고민을 상담했을 때 저는 별일 아니라고 위로한답시고 걸핏하면 이렇게 말했습니다.

"그 정도면 괜찮은 거예요. 저는 더했어요. 심지어 이런 일도 있었다니까요."

상대방은 너무 힘든 나머지 지푸라기라도 잡는 심정으로 저에게 털어놓았을 텐데 저는 그 사람의 심리 상태나 여건을 고려하지 않은 채 '당신보다 더 힘든 일을 겪은 나 같은 사람도 있으니 신경 쓰지 말라'라고 말하고는 문제를 해결해줬다며 뿌듯해했습니다. 그리고 자랑스럽게 "저는 고민 상담을 잘해줘요. 다 겪어본 일들이라 공감이 잘 돼요"라고 말하고 다녔어요.

하지만 제가 정말 힘들었던 시기에 누군가에게 고민 상담을 요청했을 때, 공감하고 위로해줄 거라 믿었던 사람이 평소의 저와 똑같이 말해버리자 순간 말문이 막히고 말았습니다. 고민이 해결된 게 아니라 봉인된 느낌이었어요.

지금까지 나에게 고민을 털어놓았던 사람들도 이런 느낌이었겠구나 하는 마음에 고민 상담을 잘한다고 거들먹거리던 저 자신이 부끄러웠습니다.

"야, 난 더해."

누군가에게 고민을 어렵사리 털어놓았을 때 이런 말을 듣는다면, 그 대화의 자리는 더 이상 서로의 아픔에 공감하는 장소가 아니라 누가 더 힘든지 겨루는 경연장이 되어버립니다.

누가 고민을 털어놓는다면 그 사람이 처한 상황과 유사한 경험을 찾아 끼워 맞추고 판단하기 전에 먼저 그 사람의 지금 심리 상태가 어떤지, 무엇 때문에 그렇게 힘든지 물어봐주고 공감해줬으면 좋겠습니다. 어차피 타인의 입장에 서는 일엔 한계가 있습니다. 내 관점에서 명료한 해결책을 제시하는 것보다는 그저 잠시 귀를 빌려주는 편이 더 도움이 될 때도 있습니다. 여러분이 가뭄이 든 누군가의 마음을 촉촉하게 적셔주는 보슬비 같은 존재가 되길 바랍니다.

관점을 달리하면
걱정도 축복이 돼요

나이가 나이다 보니 주변에 결혼한 친구들이 제법 있습니다.

그중에 가장 빨리 결혼을 한 친구는 아이를 먼저 갖고 결혼을 해 벌써 초등학생이 된 아이를 키우고 있었습니다. 다른 사람에게는 '신중하게 말해야지'라고 항상 생각하면서도 정작 가까운 사람인 그 친구에게는 걱정을 빙자해 힘 빠지는 소리를 많이 했던 것 같습니다.

어떤 분과 대화를 나누는 자리에서 우연히 그 친구 얘기가 나왔습니다.

주변에 그 친구 얘기를 하면 상당수는 "혼전 임신이구나. 힘들겠다", "걱정이 많겠네", "젊은 나이에 고생이 많구나"라며 부정적인 반응을 보였기에, 그분도 예외는 아닐 거라고 생각했습니다. 하지만 그분의 대답을 듣는 순간 제가 부끄러워지더라고요.

"누구나 경험할 수 없는 축복을 일찍 경험하신 분이네요."

소름이 돋았습니다. '어떻게 생각하면 저렇게 아름다운 말을 할 수 있지?' 하면서요.

돌이켜보면 친구니까 이 정도 걱정은 당연히 할 수 있다는 듯 함부로 말하며 오히려 친구에게 근심을 안겨줬던 것 같아요. 준비되지 않은 임신이었으니 육아에 어려움이 많을 거라고 생각했거든요. 그래서 그 친구 앞에서는 항상 염려만 앞섰습니다.

그런데 달리 생각하면, 자신과 아내를 반반씩 닮은 어여쁜 아이가 올바르게 커가는 모습을 보는 건 누구나 경험할 수 없는 축복이겠더라고요.

말을 아름답게 하는 사람이 되고 싶어요. 단순히 예쁜 단어를 그럴듯하게 조합해 기계처럼 내뱉는 게 아니라 마음속에서 진심으로 우러나오는 말을 기분 좋게 전하는 사람이요. 그러기 위해선 머릿속에 있는 부정적인 생각을 먼저 청소한 뒤, 그 자리를 좋은 사람들과 밝은 생각들로 채워야겠죠.

우리의 관점을 변화시켜주는 말과 마주쳤을 때 그것을 흘려보내기보단 잘 간직하고 내 것으로 소화해 긍정적으로 발전할 수 있는 저와 여러분이 됐으면 좋겠습니다.

사과받으려고 사과한 거야?

친구와 저녁을 먹으러 홍대입구역 근처 식당에 방문했습니다. 식당은 사람들로 꽉 차 있었고 화장실도 남녀공용 하나라 화장실을 이용하려면 입구 앞에서 대기해야 하는 상황이었습니다. 차례를 기다리고 있는데 화장실 안에 있던 사람이 문을 벌컥 열고 나왔고 협소한 통로 때문에 그분과 저의 어깨가 의도치 않게 부딪혔습니다.

저는 습관처럼 "죄송합니다"라고 하며 고개를 숙였는데, 그분은 아무 말도 하지 않고 저를 지나쳐 식당 인파 속으로 사라졌습니다. 어깨를 부딪힌 후 화장실로 들어가는데 생각하면 생각할수록 언짢더라고요. '아니, 자기가 먼저 부딪혀놓고 왜 미안하다는 말 한마디 안 하지? 심지어 내가 먼저 미안하다며 고개를 숙였는데?'

화장실을 다녀와서 친구에게 조금 전에 있었던 일을 얘기했습니다. 자기가 먼저 부딪혀놓고 내가 먼저 사과를 했는데도 그냥 무시하고 가더라, 이렇게 매너 없는 사람이 있냐, 이건 아니지 않느냐고 말입니다.

그러자 친구가 이렇게 말하더라고요.

"너 사과받으려고 습관적으로 먼저 사과한 거야?"

친구의 그 말을 듣는 순간 흠칫했습니다. 친구가 말을 이어가더군요.

"사과는 진심으로 해야 한다고 생각해. 그런데 네가 화가 나는 건, 네 잘못이 아닌데도 불구하고 먼저 사과를 했는데 그 사람이 아무런 반응을 보이지 않았기 때문이잖아. 물론 화가 날 만하지. 그런데 그 사람이 엄청 급한 일이 있어서 부딪혔다는 사실 자체를 인식하지 못했을 수도 있지 않을까?

사과는 좋은 마음으로 하는 건데, 보답을 바란다는 자체가 이미 너한테 좋지 않은 영향을 미치는 거 같아. 네가 진짜 미안해서 사과했든 반사적으로 사과했든 그 사람도 너처럼 똑같이 정중할 거라 기대하면 너만 지치지 않을까? 부딪혔구나, 저 사람 아프겠다. 그래서 사과했다면 너는 네 마음을 자연스레 표현한 거니 거기서 끝이지 뭐."

친구의 말을 듣고 저의 언행을 되돌아보니, 상대방의 반응을 기대하고 습관적으로 나왔던 경우가 많았습니다. '내가 이렇게 행동하면 저 사람도 이런 행동을 하겠지', '이런 말을 하면 당연히 이 정도 반응은 나와야 하는데?'라며 상대방에게 특정한 반응을 기대했어요. 그리고 이따금 상대가 제 예상과 어긋나는 반응을 보이면 그 사람에게 화가 나거나 못마땅해지기도 했습니다.

"고맙다, 생각해보니 내가 사과를 받기 위해서 먼저 사과를 한 것 같아. 그래서 아무 대답 없이 사라진 상대방이 불편했던 거고. 네 말을 들으니 조금 편해졌어. 앞으로는 상대의 반응을 계산하기보다 그 순간 내가 느낀 진심을 온전히 전달하는 데 집중할게. 그게 나를 위해서도 맞는 일 같아."

내가 듣고 싶은 말을 미리 정하고 거기에 맞춰서 나의 언행을 선택하면 상대방에게서 기대하지 않은 반응이 나왔을 때 실망하고 화가 나는 경우가 많습니다. 그리고 그런 감정들이 스스로에게 좋지 않은 영향을 미치기도 해요. 그렇기에 우리가 하는 말과 행동은 상대방의 어떤 반응을 기대해서가 아니라, 진심에 기반을 두고 나와야 한다고 생각해요. 참 어려운 일이지만 자신을 위해서, 그리고 함께하는 사람들을 위해서라도 항상 진심에서 우러나온 말과 행동을 하도록 노력해야겠습니다.

말을 이쁘게 하는 사람들의 세 가지 특징

말을 정말 이쁘게 하는 친구가 있습니다.

짜증이 나거나 괴로운 일을 겪어도 그 친구와 대화하다 보면 말로만 위로하는 게 아니라 마음속 깊은 곳까지 정성스레 쓰다듬어준다는 느낌을 받습니다.

그 친구와 만나며 말을 이쁘게 하는 사람들의 특징 세 가지를 발견했습니다.

첫 번째는 '때문에'보다 '덕분에'라는 말을 자주 쓴다는 점입니다.

그 친구와 식당에 간 적이 있습니다. 생각보다 음식이 나오는데 오래 걸린 탓에 저는 "배고픈데 왜 이렇게 늦게 나와?"라며 짜증을 냈습니다. 하지만 그 친구는 웃으며, "늦게 나온 덕분에 배가 엄청 고파서 맛있게 먹겠다"라고 얘기하더라고요.

친구의 말을 듣는 순간 짜증이 사라졌고, 짜증이 사라진 자리에 음식에 대한 기대감이 가득 차올랐던 기억이 납니다.

한번은 그 친구와의 약속에 늦었습니다. 저는 평소 약속에 늦는 걸 싫어하고 상대방이 늦을 때도 눈치를 주는 편이라 친구에게 너무 미안했습니다. 약속 장소에 허겁지겁 도착해 친구에게 "미안해, 내가 너무 늦었지"라고 얘기하자 친구는 "여기 처음 오는 곳이라 구경 좀 해보고 싶었는데 덕분에 근처에서 보고 싶었던 것들 좀 둘러봤다. 이렇게 사진도 찍었어. 봐봐, 멋있지?"라고 말해주더라고요. 약속 시간에 늦은 제가 미안해하지 않도록 마음을 써준 친구가 정말 고마웠습니다.

두 번째는 상대방의 고통을 내 일처럼 느낀다는 점입니다.

친구는 상대방의 이야기를 들어줄 때 항상 '나' 화법을 씁니다. 힘든 일을 털어놓으면 건성으로 "그렇겠네, 힘들겠다"라고 하는 게 아니라 "듣는 나도 힘든데 너는 얼마나 힘들었겠어"라고 위로합니다.

'간접적으로 듣는 나도 이렇게 힘든데, 너는 정말 견디기 어려웠겠다. 내가 할 수 있는 거라곤 공감해주는 일밖에 없지만 나한테 말해서 네 기분이 나아진다면 최선을 다해서 진심으로 들을게.' 이런 마음이 표정에서 느껴집니다. 그래서 안 좋은 일을 겪을 때마다 가장 먼저 떠올릴 정도로 그 친구가 의지가 됩니다.

세 번째는 아무리 긴 얘기라도 끝까지 듣는다는 점입니다.

대화하기 싫은 사람들의 공통점은 대부분 상대방이 말할 때 듣고 있다는 느낌을 주지 않는 것입니다. 찰나의 순간 독수리가 먹이를 낚아채듯, 상대방의 말이 끝나기 무섭게 자신의 이야기를 전개합니다. "내가 겪어봐서 아는데, 그건 아무것도 아니야."

하지만 말을 이쁘게 하는 사람들은 상대방의 말이 끝나기 전까지 얘기를 꺼내지 않습니다. 말을 더듬든 늘어지게 하든 미소를 지으며 끝까지 들은 뒤 얘기합니다. 고민을 단번에 해결해줄 거창한 대답이 돌아오지 않더라도 상대방이 내 말을 진지하게 들어주고 있다고 느끼면 마음이 한결 가벼워집니다.

말을 이쁘게 하는 습관은 세상을 아름답게 보는 시선에서 비롯된다고 생각해요.

내가 상대방의 마음에 꽃씨를 심어 그 꽃씨가 크고 화려하게 피어나길 바라기보다 자그맣게 피더라도 상대방이 힘들 때 바라보며 약간의 위로와 공감을 얻을 수 있다면 좋겠다고 생각하는 것.

여러분도 상대방의 마음에 '이쁜 말'이라는 작은 꽃씨를 심어주면 어떨까요? 그럼 상대방도 여러분의 마음 꽃밭에 고운 꽃씨들을 기쁜 마음으로 뿌려줄 거예요.

상처받은 사람은 많은데 상처 준 사람은 없는 이유

최근에 굉장히 부끄러운 경험을 했습니다.

사건의 발단은 아주 사소했습니다. 중학교 동창인 A라는 친구가 다른 동창 B와 C에게 몇 년 만에 갑자기 연락해서, 이제는 여유도 생기고 성공도 했으니 얼굴이나 한번 보자고 했다고 합니다.

저는 A와 별로 친하지 않았지만 B와 C를 아끼는 마음에 오지랖을 좀 부렸어요. 혹시 너희를 악의 소굴로 끌어들이려는 거 아니냐고, 그런 식으로 갑자기 연락해 성공했다고 말하면 먼저 의심을 해보는 게 좋겠다고, 항상 경계심을 잃지 말라고 웃으면서 말했습니다.

그렇게 한 달 정도 지났을까요, 어느 날 아침에 C에게 전화가 왔습니다.

"미안하다, 민창아. 어제 A를 만났는데 농담으로 '민창이가 웃으면서 너 사기 치고 다니는 거 아니냐는 말도 했다'라고 얘기했거든. 그때 다 웃고 넘겼는데, A는 네 말이 마음에 걸린 모양이더라고. 집에 돌아와서 생각했더니 화가 가라앉지 않았는지 네 번호를 가르쳐달라더라. 내가 안 가르쳐주니까 여기저기 다 물어보고 다니는 거 같아. 근데 그때는 진짜 별거 아닌 듯이 웃으면서 지나갔거든. 그런데 이렇게 되니까 나도 골치 아프네. 미안하다."

C와의 전화를 끊으며 처음엔 이런 생각이 들었습니다.

'그게 그렇게 화낼 일인가? 자주 보던 사이도 아니고, 몇 년 만에 갑자기 연락해서 만나자고 얘기하면 누구라도 의심부터 하지 않을까?'

그런데 시간이 지나고 보니 충분히 그럴 수 있겠다는 생각이 들었습니다. A의 마음속 깊은 곳에는 동창생들에 대한 그리움이 있었을 겁니다. 자신이 꿈꿔왔던 성공에 가까워지면 동창생들과 여유롭게 시간을 보내고 싶어서 열심히 살았고, 어느 날 뜬금없이 연락한 이유도 그렇게나마 그리움을 표현하고 싶어서였을지 모릅니다. 그런데 친하지도 않고 자신이 연락한 적도 없는 친구가 사정도 모르면서 함부로 사기꾼 취급을 했으니 당연히 기분이 상했겠죠.

제 기준에서는 별일이 아니었지만 A에게는 충분히 상처받을 일일 수 있겠다 싶었고 제가 너무 경솔했다는 생각이 들었습니다.

저는 A의 번호를 알아내 전화를 걸어 별다른 변명을 하지 않고, 기분 상하게 해서 정말 미안하다고 사과를 했습니다. 결코 널 시기하거나 네가 못 되길 바라지 않는다고, 세 치 혀로 가벼이 너의 세월을 넘겨짚어서 너무너무 미안하다고 말입니다.

상처 준 사람의 기준으로는 별일이 아닌 경우가 너무 많아요. 그래서 상처받았다는 사람은 많은데 정작 상처를 줬다는 사람은 없습니다. 저도 아마 깊게 생각하지 않았다면 분명 '뭐 그런 것 가지고 난리야. 그럴 수도 있지'라며 절대 사과하지 않았을 거고, A와는 감정의 골이 더더욱 깊어졌을 겁니다.

하지만 제 기준을 내려놓자 A의 마음이 보였습니다. 연락하지도 않은 친구가 자신의 흉을 보고 다닌다는 걸 다른 친구의 입을 통해 들어서 화나고 속상한 마음이요.

A와 통화를 끝내고 다시 한번 저를 돌아봤습니다. 가벼운 입으로 누군가의 마음을 무겁게 하지는 않았는지, 깃털 같은 행동으로 누군가의 감정을 짓누르지 않았는지 말입니다.

만약 저와 비슷한 상황에 처해 누군가와 갈등을 빚고 있다면 '나'의 기준을 잠시 내려놓고 상대방의 기준에서 생각해봤으면 좋겠습니다. 괜한 자존심으로 상대방과 쌓아왔던 견고한 성벽 같은 친분이 모래성처럼 한순간에 무너질 수도 있으니까요.

반면 상대방의 감정을 헤아리고 진심으로 사과를 구하면, 그 성벽은 더욱더 두터워지고 견고해질 수 있습니다.

약속 취소의 올바른 예

예전에 급한 일이 생겨 친한 친구와의 약속을 취소해야 하는 상황이 있었습니다. 너무 바빠 친구에게 '일이 있어서 내일 못 볼 거 같아. 미안'이라고 메시지만 달랑 보냈습니다. 시간이 지나서 그 친구를 만나니 그날 제가 했던 실수를 얘기해주더군요.

"민창아, 피치 못할 사정으로 약속을 취소할 수도 있지만 너는 그 방식이 좋지 않았던 거 같아. 물론 더 중요한 일이 생기면 어쩔 수 없겠지. 그런데 너와의 약속 때문에 시간을 비워놓은 상대방을 존중한다면 통보보다는 제안을 하면 어떨까? 예를 들면 이렇게 말이야.

'내가 내일 정말 급한 일이 생겨서 부득이하게 약속을 미뤄야 하는데 괜찮을까? 내 시간만큼 네 시간도 소중하다는 걸 잘 아는데 정말 미안하다. 오랜만에 널 볼 생각에 기분이 참 좋았는데, 이렇게 돼서 너무 아쉽네……. 혹시 네가 괜찮다면, 다음에 내가 너희 집 근처로 갈게. 다시 한번 미안하다.'"

친구의 말을 듣고 많은 생각이 들었습니다. 사실 저에게 급한 사정이 있다고 해서 상대방에게 일방적으로 이해를 요구해도 되는 건 아니었어요. 상대방은 저를 위해 바쁜 시간을 비워두고 만남을 기대했을 테니까요. 그럼 어떻게 그 실망감을 보상해줄지 저도 최선을 다해 대안을 내놓고 사과했어야 했던 겁니다. 물론 그렇게 해도 화를 내거나 실망하는 건 어쩔 수 없지만 말입니다.

사람들은 자신이 당연하게 생각하는 것을 상대방도 당연하게 받아들일 거라 착각하는 경향이 있습니다. 이 경향성은 나와 다른 의견을 가진 사람들은 틀리다고 판단하게 만들고, 자신의 개인적인 경험을 절대적 사실로 여기게 합니다.

하지만 저의 안일한 대처를 지적해준 친구 덕분에 저는 새로운 관점을 얻게 되었고, 이해를 요구하기 전에 상대방의 기분을 우선시하는 태도를 배웠습니다. 그리고 타인의 가치관을 존중하는 좋은 방법은 나에게 당연한 것을 절대적인 것으로 여기지 않고, 내가 상대방에게 할 수 있는 최선의 배려를 다하는 것임을 알게 됐습니다.

약속을 취소하는 사소한 메시지 하나에도 타인에 대한 존중이 필요하다는 걸 배운 귀한 경험이었습니다.

휴지를 쓰레기통에 버리고 싶어지는 마법의 말

길을 걷거나 책을 보다가 참신한 문장을 만나면 기록으로 남기는 편입니다. 다음은 그렇게 발견한 문장들입니다.

1. 아파트 단지 앞에 초고층 빌딩이 들어오면 일조권이 침해당할 수 있기 때문에 주민들이 현수막을 만들어 붙입니다.

보통 우리는 '아파트 코앞에 초고층 빌딩이 웬 말이냐! 시민의 삶 짓밟는 ○○는 각성하라!' 같은 투쟁적이고 공격적인 문구를 생각할 텐데요, 카피라이터 정철 씨는 이 문구를 이런 식으로 바꿨다고 합니다.

"아이들이 햇볕을 받고 자랄 수 있게 한 뼘만 비켜 지어주세요."

투쟁에 투쟁으로 맞서기보다 싸워야 하는 대상의 마음을 건드린 거죠.

2. 서점에서 책을 읽다 배가 아파 화장실을 찾았습니다.

으레 그렇듯 문에 경고문 비슷한 게 붙어있더라고요. 보나 마나 '휴지는 쓰레기통에 버리세요' 같은 뻔한 문구이겠거니 생각하면서 그 글을 읽는 순간 깜짝 놀랐습니다.

"휴지는 삶을 마치는 날 휴지통에 들어가 눕는 꿈을 꾼대요. 휴지의 꿈을 이뤄주세요."

갑자기 휴지의 삶이 머릿속을 스쳐가며 지금까지 내가 얼마나 많은 휴지의 꿈을 좌절시켰는가 하는 생각에 죄책감까지 들 정도였어요.

이렇듯 사람의 마음을 움직이는 건 강압적이고 뻔한 워딩이 아니라 그 사람의 마음에 파장을 불러일으킬 수 있는 상상을 하게 해주는 것, 그리고 그 마음을 어루만져주는 것이 아닐까 합니다.

친한 친구가 "요즘 진짜 힘들어"라고 말할 때 "누구나 그런 거야. 좀만 참아"라고 대답하기보다 "4년 전에 제주도에서 네가 술 진탕 마시고 난리 쳤을 때가 생각나네. 그때 나 진짜 힘들었는데. 그래도 넌 나한테 항상 자랑스럽고 소중한 친구다. 내성 발톱 때문에 힘들단 얘기만 아니면 다 들어줄게. 요즘 뭣 때문에 힘들어?"라는 구체적인 대답에 마음이 움직이는 거죠.

머릿속에 구체적인 그림이 그려지게 말하고, 그 말을 통해 상대방에게 감동을 주는 것.

그것이야말로 함께 살아가는 우리네 인생을 풍요롭게 만드는 배려가 아닐까 싶습니다.

잘못 보낸 택배 덕에 깨달은 것

이사를 가기 위해 짐을 정리하고 부산에 있는 본가로 택배를 보내면서 난감한 일을 겪었습니다.

책을 즐겨 읽고 또 자주 사다 보니 나름 정리한다고 했는데도 200권이 훌쩍 넘어 제일 큰 이삿짐 박스로 다섯 개가 나왔습니다. 물론 무게도 어마어마했습니다.

도와주러 온 천사 같은 후배와 함께 두 시간 남짓 낑낑대며 우체국으로 옮겨서 택배를 보냈습니다. 매도 먼저 맞는 게 낫다고, 제일 처치하기 곤란한 책을 보내고 나니 이제 가벼운 것들만 남았다는 생각이 들고 굉장히 홀가분했습니다.

그런데 무거운 짐을 옮긴다고 정신이 없어서였을까요, 5를 3처럼 썼나 봅니다. 그 바람에 그 무거운 택배 박스 다섯 개가 115동이 아닌 113동으로 보내졌고, 졸지에 집 앞에 이삿짐 폭탄을 맞은 113동 아주머니가 어머니께 짜증을 내며 전화를 하신 겁니다. 당연히 화가 나셨겠죠. 소소한 택배도 아니고 하나당 40킬로그램이 넘는 대형 택배였으니까요. 그런데 공교롭게도 어머니가 집을 며칠간 비울 때였습니다. 뿔이 단단히 난 113동 아주머니는 어머니께 "누가 갖고 가든 버리든 저는 모르겠으니 알아서 하세요"라며 책 박스를 문 앞에 방치하겠다고 하셨습니다. 저는 책에 대한 걱정은 차치하고 113동 아주머니와 어머니에게 너무 죄송하고 당황스러웠습니다.

'어떻게 하면 이 상황을 해결할 수 있을까?'

상황을 해결할 수 있는 사람의 조건은 세 가지였어요. 40킬로그램이 넘는 택배 박스를 들어서 옮길 수 있을 만큼 건장해야 하고, 차가 있는 부산 주민이어야 하고, 무엇보다 이런 부탁도 흔쾌히 들어줄 수 있을 만큼 마음의 그릇이 넓은 사람이어야 했습니다.

연락처 목록을 슥 넘기면서 도움을 줄 수 있는 사람을 찾아봤지만 너무 미안해서 섣불리 연락할 수가 없더라고요. 친한 친구 지민이는 힘도 좋고 부산에 살고 절 충분히 도와줄 수 있는 바다 같은 마음씨를 가진 친구이긴 한데 차가 없었습니다. 다른 친구들도 떠올려봤지만 오랜만에 연락해서 귀찮은 부탁을 한다는 게 참 염치없다는 생각이 들어 선뜻 통화 버튼을 누를 수 없더라고요. 그렇게 한 30분 정도 혼자 전전긍긍했습니다.

그때 갑자기 조건에 부합하는 한 사람이 생각났습니다.

몇 번밖에 만나지 않았지만 서로 굉장히 잘 맞는다고 느껴서 주기적으로 안부를 묻고 지내는 종백이 형이었어요.

그 형에게 어렵사리 부탁을 드렸습니다. 제가 이런 사정이 있는데 지금 아무도 도와줄 수 없는 상황이라 고민하다 형님께 연락 드렸다, 어렵다고 하셔도 괜찮으니 부담 없이 말해달라고 덧붙였지요.

그러자 형은 흔쾌히 "박스 다섯 개만 옮기면 되는 거야? 그거야 어렵지 않지"라고 하더라고요. 그러고는 그날 저녁 퇴근한 뒤 꽤 먼 거리를 달려와 113동에 있던 애물단지를 115동의 제자리로 옮겨주었습니다. "형, 많이 힘드셨죠. 너무 죄송하고 감사합니다. 제가 다음 달에 부산 내려가니까 그때 꼭 한잔 살게요"라고 하니 형이 "민창이한테 시원한 술 얻어먹을 수 있겠다. 덕분에 민창이 한 번 더 볼 수 있으니 좋네." 하고 호쾌하게 말씀해주시더라고요. 후덥지근한 날씨에 땀이 비 오듯 흘러 짜증스러웠을 텐데 생색을 내기는커녕 오히려 미안해하는 제 마음을 편하게 해주려는 그 모습을 보니 참 감사하고 많이 배우게 되더라고요.

내가 만약 저 형과 같은 부탁을 받았다면 저렇게 귀찮은 내색 없이 상대방을 도와줄 수 있을까 하는 질문을 스스로에게 해봤습니다.

저는 그렇게 하지 못할 것 같더라고요. 도와주더라도 힘든 티, 짜증 나는 티를 팍팍 내며 상대방을 더 작아지게 만들지 않았을까 하는 생각이 들었습니다.

언젠가 저에게도 같은 상황이 온다면 저는 아직 그릇이 작아 종백이 형처럼 누군가를 흔쾌히 도와주지 못할지도 몰라요. 하지만 적어도 상대방의 미안함을 배가시키진 말아야겠다는 다짐을 했습니다. 그날의 저처럼 누구에게나 뜻밖의 시련이 찾아올 수 있으니까요. 그리고 그 시련이 찾아왔을 때 흔쾌히 손 내밀어주는 사람들이야말로 결국 우리가 평생 함께할 수 있는 사람들일 거예요.

조만간 종백이 형과 술 한잔하며 인간관계에 대해 깊은 얘기를 나누려 합니다. 많이 배우고 좀 더 크고 단단한 사람이 되어야겠습니다. 그리고 그런 생각들을 글로 옮기며 여러분과도 많이 소통하고 싶습니다.

마음까지 치료해주는 공감과 경청의 힘

교통사고를 겪어 한방병원에 꾸준하게 다닌 적이 있습니다. 당시 그 병원을 선택한 이유는 두 가지였는데요, 첫 번째는 접근성이 좋아서였고, 두 번째는 의사가 친절하다는 후기가 많아서였습니다. 물론 좋은 의사들도 많이 있지만 때때로 권위적인 의사의 일방적인 진료에 위축됐던 경험이 있어서 의사가 어떤 식으로 진료를 하는지를 고려했습니다.

진료 첫날 접수를 마치고 기다리고 있으니 어떤 의사에게 배정됐어요. 그분은 다른 의사들에 비해 유독 대기시간이 길었습니다. 실력이 좋은 분인가 보다 하고 대수롭지 않게 생각하고 기다렸어요.

마침내 제 차례가 되어 진료실에 들어가자마자 저는 왜 이 의사가 그렇게 인기가 많은지 알 수 있었습니다. 제가 문을 열고 들어가자 의사가 자리에서 일어나서 저에게 인사를 하더군요.

사고를 당한 뒤 처음 갔던 집 근처 작은 신경외과에서는 마치 취조하듯 굉장히 고압적인 자세로 아픈 곳을 물어봤는데, 이 의사는 불편한 허리뿐만 아니라 그때 제가 받았던 마음의 상처까지 치료해줄 것 같다는 확신이 들었습니다.

"부산에서 사고가 났군요. 어떻게 사고가 났는지 여쭤봐도 될까요?"

"정차하던 중에 뒤에서 버스가 갑자기 들이받았습니다."

"허허, 원래 버스가 사고 내는 경우는 거의 없는데 드문 일을 당하셨군요. 어떻게, 차는 좀 괜찮은가요?"

"제 차가 아니고 친구 차라……. 크게 망가진 바람에 폐차 됐다고 울상입니다."

"그러게요. 저도 올해 초에 해돋이 보러 갔다가 옆 차가 들이받아서 견적이 700만 원 정도 나왔습니다. 차 사고는 몸도 아프게 하지만 마음도 정말 아프게 하죠."

약간 긴장했던 마음은 눈 녹듯 사라지고 어느새 개인적인 얘기까지 스스럼없이 나누고 있었습니다. 그 의사분도 저처럼 부산 출신이었고, 게다가 제가 예전에 부산에서 다녔던 병원에서 근무한

적이 있다고 하더라고요.

"침은 좀 아플 겁니다. 그래도 효과는 꽤 있으니 너무 걱정하지 마시고요. 몸 관리 잘하세요."

일러준 대로 침은 아팠지만 병원을 나오면서 마음이 굉장히 개운했습니다.

'이분은 몸뿐만 아니라 마음도 치료하시는 분이구나. 공감과 경청의 힘을 아시는 분이구나.'

환자를 최우선으로 생각하는 마음이 태도에서 느껴져서 편안했습니다.

이스라엘 왕국의 제3대 왕인 '지혜의 왕' 솔로몬은 "죽고 사는 것은 혀의 힘에 달렸다"라는 말을 했습니다. 건강한 인간관계를 구축하는 일도 마찬가지입니다. 아름답고 배려 깊은 내면에서 우러나오는 말 한마디가 때때로 우리의 운명을 좌우합니다.

내면이 아름답고 깊은 사람들은 어떤 상황에서도 여유를 잃지 않고 상대방의 말을 경청한 뒤 공감합니다. 그리고 상대방의 가슴에 정확히 내려앉은 공감의 말은 형용할 수 없을 만큼 큰 효과를 가져올 수 있습니다. 누군가의 하루를 행복하게 해줄 수도 있고, 우울하고 비관적인 마음 스위치를 긍정 쪽으로 바꿔놓을 수도 있습니다.

우연찮게 만난 의사를 통해 공감과 경청의 에너지에 대해 배울 수 있었습니다. 저 역시 그 의사처럼 공감과 경청의 힘으로 누군가의 다친 마음을 조금이나마 치유해주는 사람이 되고 싶습니다.

사소한 표현의 차이가 만드는 변화

도준이라는 후배가 있습니다. 도준이는 합리적인 비판은 겸허히 수용하는 너른 품성을 지닌 후배입니다. '나에게 애정이 있고, 내가 더 잘되길 바라는 마음으로 정성스러운 피드백을 주는 거겠지'라는 생각을 한다고 하더라고요.

저 역시 후배를 아끼다 보니 한 번씩 신랄한 비판을 하기도 합니다.

몇 달 전이었을까요, 집 근처 카페에서 도준이를 만났습니다. 그날따라 무슨 이유에서인지 도준이의 결점들이 유난히 눈에 밟혔고, 저는 도준이가 잘되길 바라는 마음에 다소 세게 말을 뱉고 말았어요.

"도준아, 네가 그렇게 말하면 사람들이 기분 나빠해."

그러자 도준이가 상처받은 얼굴로 저를 쳐다보며 이렇게 얘기를 하더라고요.

"아, 이게 잘못된 행동이었군요……. 네, 알겠습니다."

순간 도준이에게 무척 미안했습니다. 제가 굳이 그렇게 부정적으로 얘기하지 않아도 될 만큼 도준이의 잘못은 사소했거든요. 그렇지만 저는 도준이에게 '인생의 조언자'로 '당연히' 그럴 권리가 있다고 무심코 생각했던 것 같습니다.

커피를 마시고 헤어진 뒤 집으로 돌아가서도 도준이의 상처받은 얼굴이 계속 생각났습니다.

그래서 도준이에게 미안한 마음을 담은 문자를 보냈습니다.

'도준아, 아까 내가 너한테 너무 직설적으로 말한 것 같아. 사실 그렇게까지 심하게 말할 문제는 아니었는데, 너한테 돌직구를 날리는 게 내 포지션이라고 생각했나 봐. 제일 중요한 건 네 감정인데. 다시 한번 미안하다. 다음부턴 조심할게.'

잠시 후 도준이에게 답장이 왔어요.

'네, 선배. 솔직히 그 말 들었을 때 마음이 편치 않은 건 사실이었어요. 내가 하는 모든 말이 사람들의 기분을 나쁘게 하는 걸까 싶어서 저도 모르게 위축되더라고요. 그래도 이렇게 사과해주셔서 감사해요, 선배님.'

동기부여에 관한 세계적인 권위자이자 강연자, 작가인 토니 로빈스는 '변형어휘'라는 개념을 사용합니다.

그 말인즉슨 같은 상황에서도 다른 말을 사용하면 그 상황을 대하는 태도와 기분이 달라진다는 것인데요. 예를 들어 화가 나는 상황이라고 가정했을 때 누군가는 "X같네"라고 할 것이고, 누군가는 "아, 좀 아쉽다"라고 말을 한다는 것입니다.

전자의 경우에는 실제로 기분과 태도가 'X같이' 변하고, 후자의 경우에는 그냥 아쉬운 정도에서 끝난다고 합니다. 이렇듯 우리가 사용하는 말과 글, 사소한 행동들이 우리의 품격을 결정하는 것이겠죠.

한번 뱉은 말은 주워 담을 수 없지만 그 후에 좋은 말을 다시 덧붙여 이미 뱉은 말을 덮을 순 있습니다. 다시 그 상황으로 돌아간다면 전 도준이에게 이렇게 얘기하고 싶습니다.

"도준아, 지금 넌 정말 잘하고 있어. 최고야. 그런데 말할 때 조금만 다르게 표현한다면 상대방이 훨씬 더 기분 좋아하지 않을까?"

상대방에게 실수했다 싶을 때는 알량한 자존심과 특권의식을 내려놓고 진심으로 사과를 하는 게 가장 좋은 방법이라고 생각합니다. 그렇게 한다면 자연스레 상대방과의 관계도 전보다 훨씬 원만해지지 않을까요?

우리가 하는 말과 행동들이 누군가에게 가시가 되어 상처를 만들기보다는 이미 존재하는 상처까지 아물게 하는 반창고가 되었으면 좋겠습니다.

'팩트'가 무례함을 정당화할 순 없다

지금은 연락하지 않는 지인이 있습니다. 상대방에 대한 배려는 전혀 하지 않고 자신이 하고 싶은 말만 거침없이 내뱉는 사람이었습니다. 솔직함으로 포장한 무례함, 대담함으로 가장한 뻔뻔함으로 주변 사람들의 마음에 큰 상처를 냈습니다.

그 사람이 입에 달고 사는 말이 "난 솔직해서 거짓말은 안 해", "팩트만 얘기하잖아"였어요.

사실 여부를 떠나 상대방을 존중하는 태도가 없었기에 함께 알고 지냈던 사람들은 모두 그 사람과 멀어졌습니다.

상대방에 대한 배려 없이 상처 주는 말을 내뱉는 사람들이 있습니다. 그들은 '난 틀린 말 안 해', '난 거짓말 안 해', '팩트만 말하는 거잖아'라며 자신의 무례함을 곧잘 정당화하곤 합니다. 또 그들은 자신이 진실을 말해주는 올바른 사람이고, 상처받은 상대방은 진실을 받아들이지 못하는 미성숙한 사람이라고 몰아세웁니다. 어떠한 사안의 사실을 전달한다 하더라도 상대방의 마음을 우선시하고 존중하는 태도는 반드시 필요합니다. 수술 전 마취를 하듯 상대방의 마음에 보호막을 씌우는 작업이 선행되어야 해요. 최소한의 존중도 뒷받침되지 않은 말에 귀 기울일 필요는 없습니다.

팩트 폭력, 충격 요법이 아니더라도 상대방에게 깨달음을 주고 앞으로 나아가도록 도와주는 방법은 많습니다. **'어떻게 내 메시지를 강력하게 전달할까?'를 고민하기 전에 '상대방이 상처받지 않는 선에서 메시지를 어떻게 효율적으로 전달할까?'를 고민하기 바랍니다.** 내 가치관이 소중한 만큼 상대방의 마음도 존중받아야 합니다.

상대가 내 연인이라는 이유만으로
둘이서만 시간을 보내야 하고 모든 걸
공유해야 한다는 가치관을 과감하게
내려놓아야 합니다. 어린 시절, 침대 옆에 있는
인형처럼 내가 필요할 때 항상 내 곁에 있어야
한다는 마음으로 연인을 대한다면 분명 상대방은
부담을 느낄 수밖에 없습니다.

Chapter 2

사랑은 시간을 쓰고 싶어지는 일

저, 연애 잘하고 있는 걸까요?

익명의 남성분이 자신의 연애에 대한 고충과 여자친구에 대한 불평불만을 털어놓은 장문의 메일을 제게 보냈습니다.

데이트 방식도 너무 다르고, 돈을 쓰는 문제에서도 생각 차이가 커 힘들다고 하시더라고요. 그뿐만 아니라 자신은 굉장히 자유분방한 성향인데 여자친구가 자신을 너무 구속해서 숨이 막힌다고 했습니다. 제게 메일을 보낸 그분의 속내는 이런 거겠죠.

'내가 이렇게 기분이 나쁜 이유를 객관적인 눈을 가진 제삼자에게 합당하게 확인받고 싶다.'

메일을 읽고 나서 저는 이 남성이 '객관적'으로 서술했다고 하지만 문제의 원인을 어떻게든 여자친구 쪽으로 돌리려 한다는 생각이 들었습니다. 당사자인 여자친구에게는 이별이 두려운 나머지 아무 말도 못 하는 게 안쓰러웠고요. 싸우기는 싫고 이별하긴 두려우니 누군가에게 '그러게, 넌 아무 잘못 없어. 여자친구가 극성이네'라는 판결을 받아, 연애라는 법정에서 최소한의 위안이라는 승소를 하고 싶은 것 같았습니다.

하지만 제게 '아무 잘못 없으신데요. 지극히 정상적인 반응입니다'라는 말을 들었다고 하더라도, 과연 그 남성분이 '그래, 이 정도는 다들 겪는구나'라고 생각하며 여자친구에게 느끼는 불편함을 기쁘게 받아들일까요?

저는 아니라고 생각합니다. 저라는 연애 초보 판사의 판결은 결국 일시적인 위안밖에 되지 않기 때문에 시간이 지나면 다시 내면에 똬리를 틀고 있는 불편이라는 감정이 스멀스멀 기어 올라올 거예요. 그러면 또다시 누군가에게 이 연애가 정상인지, 내가 잘하고 있는지를 물으며 일시적인 위안을 찾겠죠. 그 과정을 더 이상 견디기 힘들다 싶어지는 순간 법정을 뛰쳐나갈 겁니다. 네, 굉장히 좋지 않은 결말이 찾아오는 거죠.

연애에 '정상'이 어디 있으며, 하물며 그 기준을 왜 제삼자에게서 찾는지 저는 잘 모르겠어요. 당사자인 두 사람이 자신들의 관계에 서로 솔직해지는 것보다 남들이 매겨주는 '정상' 혹은 '비정상'이 그렇게 중요한가요?

마음이 안 맞으면 자신이 옳다는 걸 제삼자에게 인정받을 게 아니라 사랑하는 연인과 현실적이고 깊은 대화를 통해 방안을 도출하는 게 우선이지 않을까요?

연애의 본질은 애초에 완전하지 않고, 연애를 하는 사람들 역시 완벽함과는 거리가 멀어요. 누군가의 의견이 절대적이지도 않으며 확실한 답이 정해져 있지도 않아요.

그러니 나와 연인과의 관계가 주변에 어떻게 보일까, 내가 정상일까 비정상일까 따지기보다는 사랑하는 상대를 더 깊게 바라보고 관계를 개선할 수 있는 대화를 나눠야 하지 않을까요?

권태기를 겪는 연인들에게

"연인과 5년 가까이 만났는데 최근 관계가 전 같지 않아서 고민입니다. 권태기가 온 것 같아요. 예전만큼 사랑을 못 주는 듯해 만날 때마다 미안하네요. 여자친구는 제가 군 생활을 하는 동안에도 기다려줬거든요. 결혼을 한다면 꼭 이런 사람과 해야겠다 싶은 확신이 들 정도로 착하고 배려심 깊은 여자예요. 그런데 예전처럼 뜨거운 감정이 솟아나지 않아요. 친구들에게 이런 고민을 토로하면 일시적인 감정일 뿐이라고, 네 여자친구 같은 사람 만나기 힘드니 후회할 짓 하지 말라고 하더라고요. 그래서 시간이 지나면 나아질 거라고 생각했는데 자꾸만 마음이 멀어지는 것 같아서 저도 많이 힘이 듭니다. 어떻게 극복해야 할지 고민입니다."

가끔 이렇게 디엠이나 메일로 고민을 토로하시는 분들이 계십니다. 일일이 꼼꼼하게 답변드릴 수 없어서 항상 죄송했습니다. 그런데 이분 같은 경우 오래 고민한 흔적이 보여서 조심스레 답변을 드렸습니다. 이 고민의 핵심은 어떻게 해야 할지가 아니라 어떻게 극복해야 할지 같았어요. 제 한순간의 답변이 혹시 이 오래된 연인의 이별을 종용하는 건 아닐까 싶은 생각에 메시지를 고치고 또 고친 후에 답변을 드렸습니다.

이 남성이 여자친구에게 느끼는 감정은 미안함인 것 같았습니다. 20대 초반에 만나 5년 가까이 연애했으며, 심지어 군 복무 기간을 기다려주기까지 한 여자친구에게 자신의 마음이 예전 같지 않다는 사실을 알리기가 미안했겠죠. 그래서 주변에 고민을 토로해보면 "다 그런 시기가 와. 얼마 지나면 사그라들 거야. 너 여자친구한테 못 할 짓 하는 거다. 좀만 참아라"라는 내용의 조언을 들으니 '아, 다 그런가 보다' 하고 넘기려 해도 뜻대로 안 되는 거죠. 참 난감하고 힘든 상황이었습니다. 그런데 저는 이 남성의 감정도 정말 중요하다고 생각해요.

그러나 이런 식으로 자신의 감정을 숨기며 평소처럼 연애를 한다고 한들 과연 두 사람에게 행복한 사랑이 지속될까 하는 의문이 듭니다. 시간이 갈수록 남성도 더욱 힘들어질 것이고, 5년이나 만난 남자친구의 변화를 당연히 눈치챌 여자친구도 속앓이하지 않을까 싶습니다.

그래서 전 그 남성에게 이렇게 말씀드렸습니다.

"일시적인 감정이라면 친구분들 말처럼 잠깐 참고 넘어가는 게 맞겠지만 본인을 옭아맬 정도라면 여자친구에게 솔직하게 말하는 편이 나을 듯합니다. 이때 중요한 건 '어떻게 말하느냐'예요. 그냥 '요즘 널 사랑하지 않는 거 같아'라고 얘기하기보다는, 먼저 서로에 대한 믿음은 변함없다는 걸 약속하고 난 뒤 솔직한 감정을 얘기하면 어떨까요? 예를 들면, 너라는 사람에 대한 내 신뢰는 굳건하다, 그런데 너에 대한 감정이 예전 같지 않아서 속상하다, 이걸 나 혼자 넘기고 견딘다면 너도 변한 내 모습에 힘들어할 거고 나도 그럴 것 같다, 그래서 어떻게 하면 이 문제를 잘 해결할 수 있을지 너와 얘기하고 싶다 하는 식으로 말이죠. 여자친구가 받을 상처가 두려워 예전 같지 않은 관계를 억지로 끌고 나간다면 결국 본인도, 여자친구도 힘들어지지 않을까요."

중요한 건 믿음과 솔직함입니다. 믿음은 내가 상대방을 여전히 사랑하고 우리의 행복한 연애를 위해 노력하고 있음을 보여주고, 솔직함은 지금 내가 행복한 연애를 하기 위해 걸리는 점을 상대방과 함께 헤쳐나가고 싶다는 걸 보여준다고 생각해요. 이건 철저히 주관적인 제 생각입니다. 아무쪼록 지혜롭게 풀어나갔으면 좋겠네요.

아프기 싫어서 상처를 깨끗이 씻어주는 과정을 생략하면 상처가 덧나 더 견잡을 수 없게 될 수도 있어요. 하지만 상처를 깨끗하게 소독하고 습윤밴드를 붙인다면 그 순간은 따끔하고 아프겠지만 시간이 지나면 그 자리는 분명 깨끗하게 아물지 않을까 싶습니다.

우리가 나눈 순간들이
우리를 지켜줄 거야

사랑에 빠지면 상대방과 모든 걸 공유하고 싶어집니다.

합정역에서 당산역으로 건너가는 지하철이 지상으로 올라왔을 때 창밖에 펼쳐지는 아름다운 한강 전경을 찍어 보낸다거나 친구와 바삭한 돈가스나 매콤한 닭발을 먹은 후 맛있었으니 다음에는 함께 오자고 말한다거나 비 오는 날 카페에서 좋아하는 노래가 흘러나오면 함께 듣지 못해 아쉬워한다거나.

내가 좋아하는 장소, 좋아하는 시간, 좋아하는 분위기를 상대방도 좋아했으면 좋겠다는 생각을 해요.

그 과정에서 우리는 닮은 모습을 찾기도 하고 전혀 다른 모습을 발견하기도 하지만 **소중한 경험을 함께 공유했다는 사실은 서로를 더 애틋하게 하고 관계를 단단하게 만들어줍니다.**

사소한 오해로 좋지 않은 감정의 파도가 밀려올 때도 함께 찍은 사진이나 특별한 날 주고받았던 소중한 손 편지를 보며 미소 짓고 다시금 사랑을 되새길 수 있습니다.

사진, 영상, 편지 같은 눈에 보이는 것들의 공유뿐만 아니라 어느 저녁 조용한 술집에서 나눴던 내밀한 대화, 그리고 서로의 작은 생채기들.

갑자기 쏟아지는 비에 윗옷을 벗어 함께 머리를 감싼 채 웃으며 지하철역까지 냅다 뛰어갔던 행복한 추억, 추위를 많이 타는 상대방을 위해 약속 시각 10분 전에 도착해 핫팩을 사서 건네줬을 때 상대방이 환하게 웃으며 안아줬던 기억 같은 감정적 공유를 통해 그 사람과 더욱 깊어집니다.

그래서 그 관계는 결코 쉽게 무너지지 않아요.

연애에 정답이 있다는 환상

남자친구와 2주년을 앞둔 A라는 친구가 있습니다.

둘이 함께하는 모습을 볼 때마다 제가 다 행복할 정도로 서로 진심으로 사랑하는 마음이 느껴지는 참 어여쁜 커플입니다. 어느 날 A에게 연락이 왔습니다.

2주년 기념으로 남자친구와 함께 돈을 모아 태국으로 해외여행을 가기로 했는데, 그걸 친한 친구들 모임에서 얘기했다고 합니다. 그러자 한 친구가 "2주년인데 별로 좋은 곳으로 가지도 않네. 태국 별거 없어. 돈 좀 더 써서 더 좋은 데로 가. 나는 유럽 다녀왔는데 진짜 좋더라"라며 무안을 줬다고 해요. 그것도 모자라 다른 친구들에게도 자신의 말이 맞지 않냐고 동의를 구했다고 합니다.

그 말을 듣는 순간 여행 계획을 세우며 느꼈던 설렘과 기대가 와장창 깨지고, 친구를 향한 분노와 함께 남자친구에게 괜한 원망이 들었다고 합니다. '더 근사한 곳에 갈 수 있는 형편이면 좋았을 텐데…….' 유럽이든 어디든 남들이 부러워할 만한 곳에 가서 보란 듯이 사진을 찍고 자신을 무시했던 친구에게 보여주고 싶다는 생각이 들었답니다. 하지만 그 마음이 성숙한 감정이 아니라는 걸 알았기에 어떤 식으로 해소해야 할지 몰라서 저에게 연락했다는 겁니다.

저는 A에게 크게 공감했습니다. 사실 연애는 둘만 좋으면 충분할 텐데, 사귀다 보면 그게 잘 안 됩니다. 상대방이 뭘 해주는지, 일주일에 평균 몇 번 만나는지, 연락의 빈도는 어느 정도가 적당한지, 100일 선물로 어떤 걸 줘야 할지 주변 사람들에게 끊임없이 묻고 그들과 비교하게 되죠. 어떤 게 '적당하고 올바른' 연애인지 말입니다.

저는 A가 이 사건으로 친구를 미워하지 않길 바랐습니다. 남자친구는 더더욱 원망하지 않기를 바랐고요. 그래서 이렇게 말했습니다.

"우선 2주년 진심으로 축하해. 네가 남자친구와 연애하는 모습을 볼 때마다 나도 항상 행복했어. 서로를 진심으로 사랑하고 아끼는 게 보여서. 이번 일은 네가 충분히 속상할 만해. 그런데 이렇게 생각해보면 어떨까? 그 친구는 불쌍한 사람이야. 일단 말을 가려서 할 줄 몰라. 자신의 말이 상대방에게 어떤 악영향을 끼칠지 전혀 고려하지 못하는 불쌍한 사람이지.

두 번째는 자랑할 게 그런 것밖에 없는 사람이야. 친구가 들뜬 얼굴로 남자친구와의 2주년 계획을 말하는 그 짧은 순간 자신이 친구보다 낫다는 우월감을 굳이 드러내는, 친구의 2주년을 축하해줄 여유도 없는 사람.

측은하게 여겨줘. 그 친구가 너에게 했던 가시 돋친 말에 신경 쓰기보다 남자친구가 너에게 주는 사랑에 집중했으면 좋겠어. 애인과 조금씩 돈을 모아 2주년 기념으로 해외여행을 간다는 사실 자체가 난 너무 부러운데? 신경 쓰지 말고 잘 다녀와. 맛있는 음식 많이 먹고 좋은 풍경도 많이 보면서 남자친구와 행복한 시간 보내."

그러자 A도 그런 말이 듣고 싶었다며 고마워했습니다. 그 친구의 말을 곱씹어봤자 자신만 손해니, 다가올 남자친구와의 2주년 여행을 기대하며 설렘을 만끽하겠다고요.

타인과의 비교는 불행의 씨앗이 됩니다. 연애에 있어서도 마찬가지입니다. A와 남자친구가 주변 사람들의 말에 휘둘리기보단 더 더욱 서로를 믿고 단단한 관계를 꾸려나가면 좋겠습니다.

연애의 적,
집착과 권태

연애할 때 가장 큰 문제는 집착과 권태라는 생각이 듭니다.

1. A는 인기 많고 매력 있는 여자친구가 항상 불안합니다. 어디를 가더라도 부러움이 가득 담긴 다른 남자들의 시선을 느낄 수 있습니다. 여자친구의 친구들에게서도 '함께 다니면 시간 있냐며 치근대는 남자들이 많았다'는 말을 몇 번 들었습니다. 그러다 보니 여자친구와 계속 붙어있으려고 하고, 여자친구의 다른 인간관계를 존중해주지 않습니다. 함께 있는 동안에만은 자신이 여자친구를 컨트롤할 수 있다고 생각합니다.

불가피한 사정으로 여자친구에게 다른 약속이 잡히면 5분에 한

번씩 연락을 합니다. 어디냐고, 뭐하냐고, 누구랑 있냐고, 언제 들어가냐고, 빨리 들어가라고, 들어가면 영상통화 하라고.

그간 A를 좋아해서 맞춰주던 여자친구도 시간이 지날수록 A의 행동에 지쳐갔고 결국 이별을 고합니다. 이별을 통보받은 A는 '네가 어떻게 나한테 이럴 수 있냐, 내가 얼마나 너에게 최선을 다했는데' 하며 여자친구에게 저주를 퍼붓습니다.

2. B는 연애가 재미없습니다. 예전에는 눈만 마주쳐도 좋고 콩닥거렸던 남자친구와의 만남이 지금은 의무가 된 것만 같습니다. 자신에게 항상 최선을 다하는 다정한 남자친구지만, 더 열정적인 무언가가 필요하다고 생각합니다. 하지만 그런 마음을 남자친구에게 직접 말하지는 않습니다. 다른 걸 시도해보려고 노력하지도 않습니다. 결국 남자친구에게 이별을 통보하고 다른 사람을 만납니다. 처음에는 설레고 좋았지만 시간이 지나면서 이전 연애에서 느꼈던 권태를 또다시 느낍니다.

첫 번째 사례는 A가 자신의 집착(A는 결코 집착이라고 생각하지 않습니다. 사랑이라고 생각합니다.)이 여자친구를 너무나도 사랑하는 데에서 비롯되었다고 착각하는 상황입니다. 여자친구가 너무 인기가 많으니 다른 사람과의 만남을 차단하고 최대한 자신과 시간을 많이 보내게 만들자고 생각한 거죠.

굉장히 이기적인 생각입니다. 여자친구는 소유물이 아닙니다.

몸은 강제로 함께 있을 수 있지만 마음은 강제로 함께할 수 없어요.

이런 경우에는 생각을 바꿔보면 어떨까 싶습니다. 누구나 좋아하는 매력적인 여자친구를 만날 수 있음에 감사하고, 나도 여자친구에게 더 어울리는 사람이 되기 위해 노력해야겠다는 발전적인 가치관을 가지면 어떨까요?

사실 너무 감사하잖아요, 그렇게 매력 있는 사람이 나를 사랑해준다는 게. 분명 나도 그만큼 매력 있는 사람이겠지만, 앞으로도 행복한 사랑을 지속하기 위해서 서로에게 받은 자극을 발판 삼아 더 좋은 사람이 되고자 노력한다면 더더욱 서로 믿고 의지할 수 있는 관계가 될 수 있을 것 같습니다.

두 번째 사례에서 B는 맨 처음 설레고 심장이 쿵쾅거리던 그 마음만 사랑이라고 붙들지 말고 그 외의 포근하고 잔잔한 마음도 사랑이라고 인정해야 합니다. 권태를 느낀다면 대화를 나누거나 다른 방식으로 관계를 변화시켜보려고 노력해야 한다고 생각해요. 연애 초반처럼 만나는 순간마다 심장이 콩닥거리고 얼굴이 빨개진다면 어떻게 계속 만나요. 사람은 당연히 변하게 되어있어요. 사랑을 지속할 노력도 하지 않은 채 매 순간 설렘만 찾아 다른 사람을 만난다면, 설렘이라는 마약에 중독된 거라고 생각합니다. 그렇게 끊임없이 설렘을 갈구하다 보면 나중에는 결국 공허를 마주하게 돼요. 그 괴로운 순간을 겪지 않기 위해선 함께 있는 사람과 지금 하는 사랑에 최선을 다하길 바라요.

진정한 사랑은 설렘이 끝난 후에 찾아온다는 말이 있습니다. 그 감정을 권태라고 생각하지 마시고 '우리가 그만큼 가까워졌구나', '다양한 모습을 보여줄 수 있는 믿음직한 사이가 되었구나'라고 좋게 생각하길 바랍니다.

진짜 나를 보여줘야 하는 순간이 반드시 온다

소개팅을 계속하다 보면 허탈함이 몰려오는 순간이 있습니다. 제 친한 친구 A도 그랬습니다. 직업도 괜찮고 외모도 번듯하고 성격도 좋아 어디 내놔도 손색이 없는 친구입니다. 소개팅 자리에 나가면 상대방의 호감을 쉽게 얻는 편이었고, 본인도 상대방에게 호감을 얻는 걸 자신 있어 합니다.

그런데 매번 호감 단계에서 끝날 뿐 연인으로 발전하지 못하는 상황이 계속되자 자존감이 낮아지고 침울해졌습니다. A는 소개팅을 자주한 까닭에 실패할 가능성이 없는 맛집과 카페, 술집 리스트를 갖추게 됐습니다. 또 실제로 만나기 전에 주선자를 통해 상대에 관한 여러 가지 정보를 알 수 있으니, 어떤 식으로 접근하면 호감을 얻을지 일종의 프로세스가 생겼다고 합니다. 그렇게 해서 성공률이 높은 프로세스를 첫 만남에서 시도한 뒤 그게 통하면 몇 번 더 만나고, 안 통할 때는 미련 없이 정리했습니다.

처음에는 자신의 노하우를 한껏 발휘할 수 있는 소개팅이라는 만남 방식이 아주 좋았다고 합니다. 그러나 몇 번 만나다 흐지부지되는 결말이 반복되자 상대가 서툴고 미숙한 '진짜 자신'보다는 능숙한 행동과 번듯하게 포장된 모습에 호감을 갖는다는 생각이 강해졌고 그럴수록 꾸밈없는 모습을 드러내기가 더더욱 어려워졌다고 해요.

영화 〈그는 당신에게 반하지 않았다〉의 등장인물 알렉스는 만남과 이별을 쉽게 반복하고 그 과정에 무척 익숙한 남자입니다. 그는 진정한 사랑보다는 한순간의 충동을 믿으며, 상대방에게서 거절에 가까운 반응이 나오는 순간 깨끗하게 포기합니다. 효율적으로 사람을 만나는 유형입니다.

또 다른 등장인물 지지는 알렉스와는 반대로 진정한 사랑을 믿는 여자입니다. 상대방이 완곡하게 거절을 표현해도 혹시 모를 가능성이 있다고 생각하며 관계를 이어가려는 유형입니다.

알렉스는 우연히 바에서 지지를 만나 연애 상담을 하게 되고,

그 후 지지가 본인이 만나는 남자들에 대해 얘기할 때마다 자신의 경험칙에 근거해 "버려", "걔 너한테 관심 없어"라는 현실적인 조언을 건넵니다.

그렇게 상담을 지속하는 동안 지지는 알렉스를 사랑하게 됩니다. 지금까지 알렉스가 했던 '그 남자 그만 만나라'는 조언들이 사실은 자신을 좋아하기 때문이라고 착각해 알렉스를 사랑하게 되죠. 하지만 지지의 착각을 알게 된 알렉스는 "몇 번이고 말했잖아. 내가 너한테 호감이 있었다면 벌써 같이 잤겠지. 아직도 남자들의 신호를 모르겠어?"라며 매몰차게 말합니다.

상처받은 지지는 울며 알렉스에게 말합니다.

"헤어지는 매 순간이 힘들고 어려워. 하지만 적어도 나는 사람을 진심으로 만나. 너는 많은 여자들에게 호감을 사고 어렵지 않게 여자를 만나겠지만 평생 사랑에 대해 모를 거야. 적어도 그런 면에선 내가 너보다 훨씬 나아. 난 진정한 사랑을 결국 찾을 거니까."

알렉스는 지지의 말을 듣고 자신의 삶을 다시 한번 되돌아봐요. 그리고 엄청난 공허를 느낍니다. '풍요 속의 빈곤'이라는 말이 있듯, 지금껏 가볍게 만나는 사람은 많았지만 한 번도 삶에서 사랑을 가져본 적이 없었다는 걸 깨달아요. 그리고 지지야말로 자신에게 부족한 사랑을 채워줄 사람임을 확신하죠. 결국 알렉스는 지지에게 절대 하지 말라고 조언했던 행동들(전화 안 받는데 다시 걸기, 과도하게 자신을 드러내기, 상대방이 완곡하게 거절했는데도 끈질기게 붙잡기)을 그대로 하게 됩니다.

A라는 친구가 참 괜찮은 사람이라고 믿기에 저는 A에게 소개팅 말고 다른 만남의 방법들을 고려해보면 어떻겠냐고 얘기했습니다. 조건을 미리 확인하고 거기에 맞춰 나의 멋진 모습만 선택해서 보여주는 만남이 아니라 서로의 다양한 면모를 자연스레 알게 되는 그런 만남들. 넌 있는 그대로 충분히 매력 있는 사람이니 난 그랬으면 좋겠다고요. 아무쪼록 A가 좋은 사람을 만나서 행복한 연애를 했으면 좋겠습니다.

준비되지 않은 스킨십을 거절해야 하는 이유

친한 여동생이 제게 고민을 털어놓았습니다. 고민의 내용은 남자친구가 스킨십을 원하는데 본인이 준비가 되지 않아 거절해도, 포기하지 않고 계속 스킨십을 요구한다는 것이었습니다. 이 정도로 집요하다면 계속 거절하기도 힘들고, 본인도 남자친구를 좋아하니 스킨십 요구에 응하는 게 맞지 않느냐고 고민하는 내용이었어요.

그 동생이 안타까웠습니다. 실상 연애에서 비슷한 문제가 꽤 빈번하게 발생하기 때문입니다. 대부분의 성교육 프로그램이나 공신력 있는 매체에서는, 본인이 원하지 않으면 아무리 연인 관계라도 상대방의 요구를 단호하게 거절해야 한다고 말합니다. 하지만 이렇게 간단한 해결책이 있는데 자꾸 문제가 되는 이유는 실제로는 단호하게 거절하기가 정말 어렵기 때문입니다.

연인의 스킨십을 거절하기 어려운 가장 큰 이유는 무엇일까요? 스킨십을 거절하면 내가 좋아하는 상대방이 무안해하고 민망해할까 걱정되고, 본인의 속도를 고집하는 바람에 데이트를 망칠까 우려하기 때문입니다. 그동안 친밀하게 쌓아온 관계를 망가뜨리기 싫어 '이 정도는 내가 참아도 괜찮겠지. 큰일 아니잖아. 남자친구인데'라며 어쩔 수 없이 원치 않는 스킨십에 응하게 되는 경우가 무척 많습니다. 그런데 이 경험이 트라우마로 남을 때가 있습니다.

그리고 그러한 경험을 하고 나면 그 사람과 헤어지고 다른 사람을 만나더라도 상대방이 스킨십을 원하면 나의 의사와 상관없이 '그렇게 해야 하는 것'이라고 생각해버릴 수가 있어요.

"하기 싫다고 왜 말 안했어"라고 얘기하는 분들이 있습니다. 하지만 상대방이 왜 말을 못 하는지 헤아릴 수 있는 세심함은 파트너로서 마땅히 갖춰야 할 덕목입니다. 그 말을 하지 않았다고 모든 책임을 상대방에게 전가하는 건 굉장히 미성숙한 태도입니다. 굳이 말을 하지 않더라도 '아직은 하고 싶지 않아'라는 의사를 표정과 행동으로 이미 많이 보여줬기 때문입니다.

하고 싶지 않다고 확실하게 얘기해도 굴하지 않고 계속 시도하는 사람들도 있습니다. 여자친구는 그 말을 꺼내기 위해 고민을 거듭하고 어렵게 용기를 냈을 텐데 그 거절의 무게를 가볍게 받아들이고 부담스럽게 재촉한다면 여성분도 상대방을 좋아하는 마음에 마지못해 응할 수 있습니다. 그렇기에 정말 여자친구를 존중한다면 남자들은 자신의 욕구만 내세우기 전에 여자친구의 상황을 헤아릴 수 있는 세심함과 배려를 갖춰야 합니다. 연애에서 스킨십이 중요한 요소이긴 하지만 단순히 스킨십을 하기 위해 연애를 하는 건 아니니까요.

그리고 스킨십으로 고민하는 여성들에게 꼭 드리고 싶은 말은, 지금의 연애가 마지막 연애인 것처럼 목매지 않았으면 좋겠다는 말입니다. 누군가에게 일방적으로 맞추는 연애는 결국 스스로에게 독이 됩니다. '헤어지기 무서워서', '이 사람이 아니면 안 될 것 같아서'와 같은 생각은 의미가 없습니다. 아무리 좋아하는 사람이더라도 나를 존중하지 않고 자신이 원하는 것만 강요한다면 헤어질 수도 있다는 각오를 해야 자유롭고 주체적인 연애를 할 수 있습니다.

애정 표현에 인색한
당신에게

여자친구를 만난 지 6개월이 지났는데 아직도 사랑한다는 말을 한 번도 안 했을 정도로 애정 표현에 인색한 친구가 있습니다. 그렇다고 이 친구가 여자친구를 사랑하지 않거나 중요하게 여기지 않는 건 아닙니다. 어떤 일과보다 여자친구와의 만남을 더 중요하게 생각하고 알게 모르게 여자친구를 잘 챙겨줍니다.

여자친구도 그 친구의 본심을 너무나 잘 알지만, 단 하나 섭섭한 게 있다면 애정 표현 문제라고 합니다. "사랑해"라고 말하면 미소 지으며 그저 "고마워"라고만 하니 여자친구는 복장이 터질 만하죠.

표현을 안 하는 이유가 있냐고 물으니, 처음에는 좀 낯간지러워서 그렇다고 하더니 이내 자신의 고민을 털어놓습니다. 어려서부터 무뚝뚝하고 보수적인 집안에서 자라 사랑한다는 말을 한 번도 못 들어봤고, 가족들과 오랜만에 만나도 반가운 마음은 내색 않고 데면데면 굴기 일쑤라고 합니다. 그래서인지 자신도 여자친구에게 사랑한다는 말을 너무너무 해주고 싶지만, 그 말이 목구멍까지 차올랐다가도 관성처럼 다시 내려가고 만다고 합니다.

저는 그 친구에게 물어봤습니다.

"너 여자친구 행복하게 해주고 싶지 않아?"

그러자 고개를 끄덕이며 대답합니다. 정말 행복하게 해주고 싶다고요.

"만약 여자친구를 잃었을 때 네가 느끼는 상실감과 후회는 어떨 것 같아?"

그러자 생각하기도 싫다고 얘기합니다.

"그러면 네 안에서 머뭇거리게 만드는 모든 걸 다 내던지고, 눈 보면서 못하겠으면 눈 딱 감고 '사랑해'라고 한 번만 해줘. 그럼 여자친구가 따뜻하게 안아줄 거야. 한 번 하고 나면 사랑한다는 말이 좀 더 자연스러워질 거야. 말뿐인 사랑이 무슨 소용이겠냐고 말할 수도 있지만 말 없는 사랑도 무슨 소용이겠어. 우리의 입은 마음을 전달하기 위해 있는데. 네가 느끼는 감정을 솔직하게 표현해줘. 나중에 후회하지 말고."

〈사랑과 영혼〉이라는 영화에서 주인공 샘은 갑작스러운 사고로 연인 몰리 곁을 떠납니다. 그리고 영혼만 남아 보이지 않는 존재가 되어버리죠. 샘은 몰리의 곁을 맴돌며 위험에 처하거나 긴급한 상황에 빠진 몰리를 지켜냅니다.

제가 이 영화에서 가장 인상 깊게 봤던 부분이 있습니다. 몰리는 항상 샘에게 "사랑해"라며 애정을 표현하지만, 샘은 언제나 "나도 그래"라고만 대답했어요. 사랑한다는 말을 단 한 번도 하지 않았죠. 영혼이 된 후 샘은 몰리에게 자신이 곁에 존재한다는 걸 알리기 위해 타인의 입을 빌려 사랑한다고 말하지만 몰리는 그가 샘이라는 사실을 믿지 않습니다. 한 번도 샘에게 사랑한다는 말을 들어본 적이 없었으니까요. 몰리를 지켜주고 이승을 떠나기 직전 샘은 자신의 마음을 솔직하게 표현할 기회를 얻습니다. 그리고 샘은 자신에게 주어진 마지막 기회를 놓치지 않고 말합니다. "사랑해, 몰리. 언제나 당신을 사랑했어."

"굳이 말해야 알아?"

무뚝뚝한 연인을 만나고 있거나 만났던 사람이라면 이런 말을 많이 들어봤을 겁니다.

이미 이렇게 많은 시간을 공유하고 또 서로를 챙겨주는데 새삼 말로 표현해야겠냐는 뜻이겠지요. 하지만 이런 사람들과 만나면 채워지지 않는 무언가가 있습니다. 나를 사랑하는 게 맞기는 하나 싶고 섭섭한 감정이 끊임없이 고개를 듭니다.

저는 사랑한다면 사랑을 표현할 수 있는 거리에 있을 때 아낌없이 표현해야 한다고 생각해요. 물론 습관처럼 가볍게 '사랑해'라는 말을 내뱉는 사람들도 문제가 있지만, 그렇다고 사랑한다는 말을 너무 무겁게 여긴다면 나중에 상대방이 떠났을 때 더 큰 후회가 남을 수도 있거든요.

오늘 여러분 곁의 소중한 사람에게 사랑한다고 표현해보는 건 어떨까요? 쑥스럽다면 카톡으로, 편지로, 혹은 SNS 댓글로라도 사랑하는 연인, 친구, 가족에게 여러분의 마음을 전하셨으면 좋겠어요.

사랑하는 이들이 빠지기 쉬운 함정

연애를 하다 보면 선한 의도에서 벌어지는 실수가 있습니다. 바로 모든 걸 상대방에게 맞추는 것입니다.

이런 실수를 하는 사람들은 상대방을 좋아하기 때문에 상대에게 모든 걸 맞춰줍니다. 내가 불편하더라도 상대방이 좋아하는 것 같으면 그냥 넘어가요. 사실 이해하려고 들면 이해 못 할 일이 없습니다. 설령 도둑질을 했다고 하더라도 그 사람의 사정을 들으면 딱하고 이해가 돼요. 만약 그건 아니라고 단호하게 얘기하면 상대방이 불쾌해할까 봐, 나를 떠나갈까 봐 두려워 본심을 얘기하지 못합니다. 끝없는 이해의 늪에 빠지게 되는 겁니다. 이해의 늪에 빠지면 상대방의 눈치를 보게 되고, 사랑이라는 명목하에 자신을 잃어버리게 됩니다. 그러다 헤어졌을 때 드는 생각은 '내가 그렇게 잘해줬는데 어떻게 나한테 헤어지자고 할 수 있어?'예요.

하지만 정작 상대방은 그게 잘해주는 거라고 생각하지 않을 거예요. 원래 까다롭지 않은 사람이라고 생각할 겁니다. 사람이 서있으면 앉고 싶고, 앉으면 눕고 싶고, 누우면 자고 싶어요. 그게 인간의 본성입니다. 잘못된 행동을 했는데도 '그럴 수 있다'며 그냥 넘어가면, 자신이 알아서 그 수위를 조절하기보단 더 이기적으로 행동할 가능성이 높습니다. 지나친 이해는 관계를 잘못 설정하는 시초가 됩니다. 이해의 늪에 한번 빠지면 이미 기울어진 관계를 되돌리기가 굉장히 힘들어집니다.

그래서 자신만의 선을 정해야 합니다. 아무리 좋아하는 사람이더라도 내 기준에서 어긋난 행동이나 말을 한다면 내 의사를 정확하게 전달해야 합니다. '방금 왜 그런 말을 했는지 궁금하다, 내 기준에서는 이해가 잘 안 가는데 왜 그런 거냐'고 되물어야 합니다. 그러면 상대방은 나를 대할 때 약간 긴장할 겁니다. 편한 사이에서도 이런 긴장은 반드시 필요합니다. 상대방이 언짢아하는 걸 알면서도 편하다는 이유로 내 마음대로 행동한다면 그건 연인 관계라기보다는 갑을 관계에 가깝습니다.

그래서 저는 의견 충돌이 없는 커플보다 의견 충돌이 있는 커플이 정상이라고 봐요. 몇십 년을 다르게 살았는데 어찌 100퍼센트 맞겠어요. 의견 충돌이 일어난 사실이 중요한 게 아니라 그 의견 충돌을 어떻게 현명하게 극복하는가가 중요해요.

각자 자신만의 선이 있을 겁니다.

상대방이 그 선을 넘으려 한다면 내가 설정한 허용 범위가 어디까지인지 다시 생각해봐야 해요. 다 맞춰주면서, 자신을 잃으면서까지 연애를 하진 마세요. 그런 연애가 끝나고 나면 남는 건 마음의 상처와 낮아진 자존감뿐이에요. 그리고 혹시 지금 여러분이 하는 연애가 너무나도 편하고 흠잡을 데 없다는 생각이 든다면, 상대가 모든 짐을 지고 있는 건 아닌지 먼저 살펴봐주면 좋겠습니다. 어쩌면 상대가 나를 늘 이해해주려고 하는 사랑의 실수를 하는 중일지도 몰라요.

사랑은 시간을 쓰고 싶어지는 일

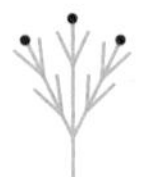

하루는 홍대입구역 근처 카페에서 글을 쓰고 있었습니다. 그런데 제 앞 테이블의 어떤 남성분에게 자꾸 눈길이 가더군요. 계속 옷매무새를 가다듬고, 휴대전화 화면을 보고 머리를 만지는 등 자신의 외모를 다듬고 또 다듬었습니다. 그렇게 10분 정도 지났을까요. 한 여성분이 그 남성분 앞으로 다가오셨어요. 그러자 남성분은 총알처럼 일어났습니다. 재빨리 의자를 꺼내주고 두 손을 내밀며 "얼른 앉으세요"라고 말하더군요. "날씨도 추운데 오시느라 힘드셨죠"라고도 하십니다. 분명 예의 바르고 괜찮은 분이라는 확신이 들었습니다. 여성분도 남성분에게 호감이 있는 듯 보였습니다. 남성분을 바라보는 눈빛은 꿀이 떨어질 듯 달콤하고, 수줍게 머리를 뒤로 넘기거나 웃을 때 손으로 입을 가리는 모습을 보며 짐작했습니다. 남성분은 그냥 여성분이 좋은가 봐요. 배시시 나오는 웃음을 숨기려야 숨길 수가 없어 보였습니다. 제가 몰래 들으려 한 건 아니지만 테이블이 가까이 있어 대화 소리가 들렸습니다.

어떻게 남성분이 여성분에게 호감이 있다는 걸 확신할 수 있었냐고요? 여성분이 무슨 말만 하면 다 공감하고 '다음 스텝'을 얘기하더라고요. 이를테면 이런 식입니다.

"저 농구 좋아해요."

"어! 저도 농구 좋아하는데, 다음에 같이 농구 보러 가실래요?"

"저 독서 좋아해요."

"어! 저도 최근에 교보문고에서 권민창 작가의《오늘만큼은 내 편이 되어주기로 했다》라는 책 샀는데! 다음에 카페에서 같이 책 읽어도 재밌겠다!"

"저 A형이에요."

"어! 저는 O형인데, A형인 친구들이 유독 많아요! A형과 O형이 잘 맞는 것 같아요."

두 분의 달달한 기운에 전염돼, 글을 쓰면서 저도 덩달아 흐뭇해졌습니다.

생각해보면 누군가에게 호감이 있을 때 하는 행동 중 가장 확실한 것은, 그 사람이 좋아하는 것을 나도 좋아한다고 얘기하며 같이 하자고 할 때가 아닌가 합니다. "긴 여정의 목적지에 가장 빨리 가는 방법은 가장 친한 친구와 함께 가는 것이다"라는 말이 있듯 좋아하는 사람과 무언가를 함께할 땐 시간이 정말 빨리 갑니다. 함께 있는 순간이 너무 행복하고 즐겁기 때문이죠.

저도 좋은 사람들을 만나면 항상 시간 가는 줄 모르고 열띤 대화를 하게 됩니다. 만남이 끝나고 집에 오는 길에도 계속 그 사람들이 생각납니다. 친구조차 그런데 하물며 사랑에 빠진 상대와 함께 시간을 쓰고 싶은 그 마음은 오죽할까요.

아무쪼록 홍대입구역 근처 카페에서 데이트를 했던 그 남성분과 여성분이 잘되길 바랍니다. 그리고 여러분의 시간도 사랑하는 사람과의 기억으로 아름답게 물들어가길 바랄게요.

이 사랑을
어떻게 지켜나갈까

연인끼리의 다툼은 비교에서 비롯되는 경우가 많습니다.

비교에는 크게 두 종류가 있습니다. 첫 번째는 물질적인 비교입니다. "나는 데이트 비용을 이렇게 많이 쓰는데 자기는 왜 그 정도밖에 안 쓰냐", "나는 생일에 이만큼 해줬는데 자기는 이런 것밖에 못 해주냐"라며 핀잔을 주는 경우죠. 내가 해주는 것과 상대방이 해주는 것의 크기를 재보고, 상대방 것이 더 작다 싶으면 서운해합니다. 물론 연애할 때 금전적인 요소는 중요합니다. 그러므로 불편함을 참을 바에야 솔직하게 문제를 공유하는 편이 낫습니다. 단, 상대방을 사랑한다면 일방적으로 내 기준에 맞추라고 강요하기보단 상대방의 여건을 살피고 가능한 부분과 가능하지 않은 부분을 확인한 후 조율하는 방식이 더욱 바람직하겠죠.

연인들은 다른 커플과 비교하면서 우리 연애의 부족한 점을 들춰보기도 합니다. "내 친구 커플은 1주년을 고급 호텔에서 보낸다던데", "여름휴가로 북유럽 다녀왔다던데"라며 은근히 아쉬움을 내비칩니다. 이런 비교는 더 큰 싸움으로 번질 수 있습니다. 자신이 꿈꿔왔던 이상적인 연애의 모습이 있을 순 있지만, 굳이 다른 커플과 비교하는 것은 상대에 대한 예의도 아닐뿐더러 관계만 악화시키는 최악의 방식입니다. 차라리 "기념일에 이런 곳 가는 게 꿈이었는데, 우리 다음엔 돈 더 열심히 모아서 다녀올까?"라고 내가 원하는 것을 솔직하게 밝히는 방법이 낫습니다.

두 번째는 감정적인 비교입니다.

나는 상대방을 위해 항상 주말도 비워놓고 다른 약속보다 상대방과의 만남을 우선하는데, 상대방은 볼일 다 보고 남는 시간에 날 만나는 것 같다는 생각이 듭니다. 그래서 서운한 마음에 "자기는 내가 진짜 보고 싶어서 보는 게 아니라 시간이 남는 김에 보는 것 같아"라고 쏘아붙입니다.

언제나 자신이 먼저 사랑한다고 말하는 것 같은 분들도 있을 테죠. 그런 분들은 "나는 이렇게 자주 사랑을 표현하는데 자기는 왜 나한테 그만큼 표현하지 않느냐"며 투정을 부리기도 합니다.

이런 마음은 충분히 이해가 갑니다. 연인을 삶의 첫 번째로 두는 사람이라면 상대방의 우선순위가 내가 아니라는 생각이 들 때 섭섭하고 속상할 수 있습니다. 이때 상대방이 "난 원래 그렇다"라며 이해가 안 간다는 표정을 짓는다면 그 관계는 다시 생각해볼 필요가 있습니다. 하지만 사과하고 더 나은 관계를 만들기 위해 노력한다면 또 다른 갈등이 찾아와도 잘 헤쳐나갈 수 있겠다는 신뢰가 쌓이게 됩니다.

애정 표현은 얼마나 해야 하며 시간은 얼마나 써야 하는지, 데이트 비용은 또 얼마큼 써야 하는지, 기념일에는 무엇을 하고 어디를 가는 게 적당한지의 기준은 저마다 다를 수밖에 없습니다. 살아온 환경이 다르니 연인 사이에 다툼은 필연적이죠. 그래서 이해하려고 노력하다가도 상대방이 주는 것이 보잘것없어 보이는 순간이 분명 찾아옵니다.

중요한 건 다툼의 소재를 현명하게 꺼내는 것이고 또 그 갈등을 잘 봉합하는 것입니다. 지금 내 곁에 있는 사랑하는 사람이 다소 미흡해 보이더라도 어떻게 이 사랑을 지속하고 지혜롭게 갈등을 해결할 것인지 대화를 나누고 맞춰갔으면 좋겠습니다. '우리가 얼마나 잘 맞는가'보다 중요한 건 '우리가 어떻게 이 사랑을 지켜나가는가'니까요.

첫인상 이후에 보이는 것들

이상형과 정반대인 사람에게 푹 빠져 연애하는 경우를 주위에서 심심찮게 볼 수 있습니다. 그리고 그들 중 대부분은 처음에는 연인 관계로 발전할 줄 전혀 몰랐다고 합니다. 만나다 보니 그 사람만의 매력에 조금씩 물들어가기 시작했다고, 그러다 정신을 차리니 이렇게 됐다고 환하게 웃으며 말합니다.

외모를 하나도 보지 않는다는 말은 거짓말이라고 생각합니다. 외모를 안 본다는 사람들도 선호하는 스타일은 확고할 거예요. 예를 들면 짧은 머리에 뿔테 안경을 쓴 사람, 콧수염이 잘 어울리는 사람, 배는 좀 나와도 얼굴이 둥글둥글하고 눈매가 선한 사람, 품에 쏙

안길 만큼 몸집이 아담한 사랑스러운 사람, 웃을 때 생기는 눈주름이 매력적인 사람 등 제각기 바라는 스타일이 있겠죠.

그 최소 조건을 충족시키면 이후로는 그 사람의 다른 면들이 보이기 시작합니다.

내가 어떤 얘기를 해도 귀를 쫑긋 세우고 경청해주는 따뜻한 마음, 자신의 진심을 조심스레 표현하고 묵묵하게 기다리는 진중함, 예기치 못한 상황에서도 현명하게 대처하는 모습, 삶을 대하는 철학이나 가치관, 일에 집중할 때 반짝거리는 눈, 뒷사람을 위해 문을 잡아주는 배려심, 반려동물 사진을 보여주며 천진난만하게 웃는 얼굴 등 사소하지만 마음을 사로잡는 매력 때문에 그 사람에게 스며들게 됩니다.

이상형을 얘기할 때 외모에 국한해서 말하는 경우가 종종 있습니다. 그러나 사람을 지속적으로 만나다 보면 외모가 다가 아니라는 생각이 듭니다. 저도 누군가가 이상형을 물어보면 "사랑을 받을 줄 알고 사랑을 나눠줄 줄 아는 사람이 좋다"라고 대답하곤 해요. 끌림이라는 게 꼭 특정한 외모에 한정되어 나타나지는 않았던 것 같아요.

누가 봐도 정말 눈이 부시게 아름답거나 멋진 사람에게 첫눈에 반하는 것만이 사랑이 아니라 사소한 계기로 나도 모르게 상대방에게 이끌리고 의외의 모습을 발견하며 서서히 그 사람에게 젖어가는 그 과정 또한 정말 아름다운 사랑이라는 생각을 합니다.

그래도 사랑을 포기하진 마

Q. 주변 사람들에게 부족함 없이 사랑받으며 살아왔다고 생각했는데 연애만 시작하면 사랑받지 못해 안달 난 사람처럼 애정을 갈구하다가 상대방이 지쳐 떠나고 말아요. 그러면 저는 '이 사람은 내가 좋아하는 것만큼 날 좋아하지 않았구나.' 하고 항상 상처를 받아요. 다음 연애에서는 상대방을 조금 더 놓아주고 사랑을 덜 갈구하고 싶은데, 그게 정말 정답인지 궁금해요.

A. 두 가지 경우가 있겠죠. 첫 번째는 상대방과 사랑이라는 그릇의 크기가 다른 경우, 두 번째는 말 그대로 사랑을 과도하게 요구하는 경우인데요. 첫 번째라면, 만났던 사람들과 각자 생각하는 사랑

의 크기가 달랐을 뿐 질문자님이 유별난 사람은 아닌 것 같습니다.

두 번째라면 마음가짐을 바꾸는 편이 좋을 듯싶어요. '조금 더 놔주고, 덜 갈구하고 싶다'라고 생각하면 변하지 않아요.

상대가 내 연인이라는 이유만으로 둘이서만 시간을 보내야 하고 모든 걸 공유해야 한다는 가치관을 과감하게 내려놓아야 합니다. 어린 시절, 침대 옆에 있는 인형처럼 내가 필요할 때 항상 내 곁에 있어야 한다는 마음으로 연인을 대한다면 분명 상대방은 부담을 느낄 수밖에 없습니다.

사랑은 참 아픈 것 같아요. 두 사람이 저울에 달듯 똑같은 크기로 사랑할 순 없거든요. 분명 누군가는 더 사랑하고 다른 누군가는 덜 사랑할 텐데, 더 사랑하는 사람은 상처를 받기 쉽고 덜 사랑하는 사람은 권태를 느끼기 쉽죠. 질문자님은 '언제나 내가 더 사랑하고 상처받는 쪽'이라고 생각하니까 사랑이 두렵고, 고민 끝에 '덜 갈구하고 싶다'는 해결책을 찾으신 것 같아요. 하지만 사랑의 양을 따지며 문제를 해결하려 하기보다는 앞서 말했듯 연인을 대하는 태도를 한번 돌아보길 권해요. 아프기 싫다고 사랑을 안 하겠다고 선택할 수는 없잖아요. 사랑을 하되 상대방과 서로의 약한 부분을 천천히 보여주고 맞춰가며 만나면 어떨까 싶습니다.

그리고 혹시라도 상대방이 떠날까 두려워 나의 약한 부분을 드러내지 못한다면 괘념치 마세요. 약점을 얘기해서 떠날 사람이라면 얘기하지 않아도 언젠가는 내 곁을 떠날 사람이니까요. 본인답게 사랑하고 본인답게 행복하시길 바라요.

아픔이 떠난 자리에

미국 심리학자 앳킨슨과 시프린의 연구에 따르면 기억은 크게 감각 기억과 단기 기억, 그리고 장기 기억으로 나뉜다고 합니다.

그중 단기 기억이라는 개념은 정보가 장기적으로 저장되거나 빠르게 망각되기 전에 일정 시간 의식 속에 유지하는 기억입니다. 거래할 때 상대방의 입금 주소를 잠깐 동안 외우거나 상대방의 부탁을 듣고 다른 누군가에게 급히 전해줘야 할 때 활성화되는 기억이죠.

단기 기억은 대개 10초에서 20초 정도 지속된다고 합니다. 우리 뇌가 중요도가 낮다고 판단하기 때문입니다.

반면 장기 기억이라는 개념은 기억이 비교적 오래 저장되는 창고입니다. 여기엔 오래 쌓은 지식과 기술, 경험 등이 포함됩니다.

오래 사귀었던 연인과의 추억이나 짧지만 강렬했던 사랑의 상처 등은 이 장기 기억에 포함되는 것 같습니다. 이별한 사람들이 오래도록 연인을 잊지 못해 힘들어하는 경우가 있습니다. 기억하고 싶지 않더라도 문득 떠올라 우리를 아프게 하는 거죠.

그러나 이 장기 기억도 오랜 시간이 지나면 사라집니다. 정확히는 사라지는 게 아니라 기억 저편 속에 가라앉는 거죠.

헤어진 연인의 전화번호, 얼굴 등이 사라지더라도 함께하는 동안 느꼈던 따스함과 좋았던 추억은 비슷한 환경이나 상황에 처하면, 바람이 불 때 땅에 있던 낙엽이 순간적으로 공중에 떠오르는 것처럼 드러납니다. 기억하고 있다는 것을 자각하지 못하더라도 어떤 감정들은 뇌에 저장되어 있는 거죠. 하지만 이별 직후 한참 힘들고 아팠을 때보다 훨씬 담담해집니다. 그리고 '그땐 그랬지'라며 웃고 넘길 수 있게 됩니다.

추운 겨울이 지나면 따뜻한 봄이 옵니다.
이별에 힘들어하는 사람들의 마음에도 봄이 오길,
그렇게 새로운 사랑과 기대가 태동하길 바랍니다.

내가 상처받지 않으려면 이 사실을
인정하는 게 제일 중요하겠죠.
나에게 사랑을 갈구할 자유가 있다면
다른 사람들 또한 나를 미워할 자유가 있다는 사실을.

Chapter 3

그 사람,
억지로
견디지
않으려고요

'오래됐다'
그 이상도, 이하도 아닌 관계

10년을 넘게 알고 지내던 친구와 연락을 안 한 지도 벌써 반년 가까이 지난 듯합니다.

연락이 끊긴 이유는 굉장히 사소합니다. 무심코 던진 서로에게 상처를 주는 말과 별것 아니지만 신경을 건드리는 행동이 조금씩 쌓이다가 폭발한 것이겠죠. 어쩌면 인간관계에 균열이 가는 원인은 대부분 사소한 문제가 아닐까 싶습니다.

평소와 다름없이 장난을 치던 중에 친구가 벌컥 화를 냈습니다.

사실 3, 4년 전부터 서로 가치관과 성격이 점점 맞지 않는 게 눈에 띄게 보였지만 애써 외면했어요. 10년의 추억을 함께한 '특별한'

사이라 믿었으니까요.

자주 만나던 친구는 아니었지만, 사실 약속이 잡힐 때마다 오늘은 어떤 일로 다투고 어떤 부분으로 상처받을까 싶어 불안하고 조마조마했습니다.

관계를 바로잡기 위해 연거푸 화해를 시도하고 진심 어린 사과를 했지만 친구는 묵묵부답이었어요. 저는 함께 아는 친구들에게 하소연도 해보고 어떻게 관계를 개선할까 조언도 구해보며 나름대로 최선을 다했습니다. 그런데도 화를 풀지 않는 친구가 서운하기도 하고 마음이 아프기도 했어요. 그러다 문득 이런 생각이 들었습니다.

'함께한 추억 하나 때문에 내가 너무 많은 걸 잃고 있는 건 아닐까?'

오랫동안 추억을 쌓아왔다면 앞으로도 함께할 추억이 기대되어야 진정으로 편하고 서로에게 시너지가 되는 관계일 텐데, 그 친구와 저는 '오래된 관계' 그 이상도, 이하도 아니었던 것 같아요.

적극적으로 관계를 개선할 노력을 하지 않다 보니 자연스레 멀어졌습니다. 그렇게 되니 어느샌가 마음이 편해졌습니다. 알게 모르게 저도 스트레스를 많이 받고 있었나 봐요.

썩은 가지는 잘라내야 합니다. 그래야 새롭고 싱싱한 싹이 납니다. 썩은 가지를 계속 방치하면 나무 밑동까지 썩을 수 있습니다. 나무 밑동은 우리의 정신 건강이겠죠.

불편하고 나와 안 맞는 관계를 '추억'이라는 명목으로 방치한다면 언젠가 그 관계는 무너지게 되어있습니다. 심한 경우 인간관계 전반까지도 흔들릴 수 있겠죠. 함께한 지 오래됐지만 자신을 불편하고 작아지게 만드는 인간관계에 지친 지인들이 가끔 저에게 고민을 토로합니다. 그때마다 저는 조심스럽지만 과감하게 잘라내라고 말씀드려요. 그런다고 큰일 안 난다고, 더 건강하고 잘 맞는 좋은 가지들이 자라날 거라고. 결과적으로 그런 가지들이 우리를 더욱 단단하고 풍성하게 해줄 거라고 말입니다.

여러분은 어떤가요?

서로 상처만 주고 힘들기만 한 인간관계를 '정들었다'는 이유만으로 애써 유지하고 있진 않은가요?

인간관계에서 중요한 건 '함께한 세월'보다 '함께할 미래에 대한 믿음'이 아닐까 싶습니다. 우리의 삶은 한정되어있습니다. 그러니 적어도 내가 선택할 수 있는 관계라면 즐겁게 시간을 보낼 수 있는 사람들과 함께하시길 바랍니다.

너랑 안 맞아도
나랑은 잘 맞을 수 있잖아

새로운 누군가를 만나기 전, 주변 사람들의 평가를 절대적으로 신봉하는 사람들이 있습니다.

"걔 어때? 나 내일 만나기로 했는데."

"아, 걔 별로야. 가깝게 지내지 마."

"어, 걔 괜찮아. 착해."

저도 예전에는 누군가를 만나기 전에 주변 사람들에게 그 사람에 대한 평가를 구했어요. 주변 사람이 좋다고 하면 그 사람에 대한 호감도가 상승했고, 별로라고 하면 만나기도 싫고 만나도 왠지 나랑 잘 안 맞을 것 같다는 생각부터 했습니다. 그리고 저도 제가 아는 사람을 만나는 친구가 있으면 대수롭지 않게 그 사람 어떻더라는 평가를 쉽게 내린 후 전달하곤 했습니다.

어느 날은 친한 누나가 제가 아는 사람을 만난다길래 또 별생각 없이 그 사람에 대한 제 주관적 평가를 누나에게 전해줬어요. 그러자 누나가 이렇게 말했습니다.

"너랑 안 맞아도 나랑은 잘 맞을 수도 있잖아.
괜한 선입견 생기니까 나한테 그런 말 안 했으면 좋겠다."

다른 사람을 쉽게 단정 짓고 평가해왔던 저 자신을 반성하게 만드는 말이었어요. 누나에게 죄송하다고, 그리고 고맙다고 말했습니다. 누나의 말을 들은 뒤로는 만나기도 전에 타인의 평가를 듣고 색안경을 끼기보다, 내가 그 사람을 직접 겪어보고 판단하자고 다짐했어요.

그 후 다양한 사람들과 마주하며 먼저 들었던 평과 다르게 저와 꼭 맞는 인연을 많이 얻었습니다. 오히려 선입견을 심어주던 지인과 멀어지고 안 맞을 거라 지레 짐작했던 사람과 훨씬 더 가까워진 적도 많아요.

아직도 잘못된 고정관념을 마치 객관적인 사실인 양 생각하는 사람들이 많습니다.

"어, 경상도 사람이시네요. 무뚝뚝하겠어요."

"A형이야? 소심하겠네. 미안, 아까 장난쳐서. 마음에 담아뒀겠다."

주변 사람들의 평가, 고향, 혈액형, 나이와 같은 정보에 의존해 사람을 판단한다는 건 우리가 그만큼 진실된 마음의 눈을 가지지 못했다는, 사람 보는 능력이 부족하다는 사실의 반증일지도 몰라요. 누군가의 지극히 주관적인 평가에 휘둘려 우리의 인생에 보석 같은 존재가 될 수 있는 인연을 놓칠 수도 있습니다. 그건 정말 어리석고 안타까운 일이죠.

사람을 만났을 때 그 사람 자체를 보려고 노력하셨으면 좋겠습니다. 내가 직접 대화를 섞고, 얼굴을 마주하고 그 사람을 느꼈으면 좋겠어요.

그 어떤 고정관념에도 의지하지 말고, 시간을 들이고, 진심을 보여주고, 얼굴을 보고 진득하니 대화를 나눠보며 그 사람 자체를 알아갔으면 좋겠습니다. 그리고 그렇게 알게 된 사람이 여러분의 인생에 보석 같은 존재가 되기를 바랍니다.

결점이 만드는 매력

A는 새로운 누군가를 만날 때 구김 하나 없이 단정한 와이셔츠를 입고 수염도 깔끔하게 다듬습니다. 뭘 먹을지 만나서 정하기보단 전날 식당을 예약해두는 편이고, 단 1분의 오차도 없이 약속 장소에 도착합니다.

B는 좀 다릅니다. 어제 입었던 옷은 아니지만 옷이 군데군데 구김이 가있고 턱에는 수염자국이 여실히 보입니다. 식당을 미리 예약하기보단 만나서 걸으며 찾는 편입니다. 자세히 보니 가방 앞 지퍼도 반쯤 열려있네요.

A는 자신이 완벽하기 때문에 상대방에게도 완벽함을 요구합니

다. 그래서 A를 만나는 사람은 항상 부담을 느낍니다. B는 자신이 2퍼센트 부족한 걸 알기 때문에 상대방에게 뭔가를 요구하지 않습니다. 그저 함께 만났을 때 대화가 즐겁고 마음이 통한다면 만사 오케이입니다.

A와 B를 아는 사람들은 처음엔 A를 굉장히 매력적이라고 여기지만 시간이 지나며 점점 B에게 끌립니다. A와 함께 있을 땐 아주 작은 실수조차 하지 않으려고 매 순간 긴장하지만, B와 함께 있을 땐 그럴 필요가 없습니다. 그렇기에 B의 그런 허점들이 뜻밖의 매력으로 다가옵니다.

심리학자 엘리엇 애런슨은 이처럼 허점이나 실수가 대인 매력을 증진시키는 현상을 '실수 효과'라고 명명했습니다. 빈틈을 보이거나 결점을 솔직하게 드러내면 사람들이 경계심을 늦추고 마음의 문을 연다는 겁니다. 결점을 가진 사람에게는 왠지 나의 결점을 드러내도 괜찮을 것 같다는 생각이 들기 때문입니다.

상황을 항상 완벽하게 통제하고 싶어 하는 사람들이 가끔 있습니다. 그런 사람들의 공통점은 사소한 계획 하나만 틀어져도 극심한 스트레스를 받는다는 것입니다. 완벽해야 한다는 강박관념 때문입니다.

하지만 사람들은 완벽한 사람보다는 약간의 허점이 있는 사람에게 호감을 가집니다. 자신과 비슷하다는 동질감과 인간미를 느끼기 때문이에요.

결점을 감추려고 너무 애쓰기보다는 자신을 조금 놓아주고 자연스럽게 행동하시길 바라요. 완벽을 연기할수록 더 큰 실수가 일어날지도 모르니까요. 부담을 내려놓고 여유롭게 지내다 보면 숨기고 싶었던 나의 부족함은 어느 순간 사람을 끌어당기는 뜻밖의 매력이 될 거예요.

'나다움'을 좋아해주는 사람들

"민창아, 내가 말 안 하려고 했는데…… A가 너 진짜 싫어해."

예전에 저는 누군가가 저를 싫어한다는 사실에 견디기 힘들 만큼 큰 상처를 받았습니다.

"왜? 어떤 점이 싫대? 내가 A한테 잘못한 게 별로 없는데……."

"몰라, 네가 너무 자기주장이 강하다는데?"

저는 A와 있었던 일들을 되짚어본 뒤 딱히 잘못한 행동이 없었는데도 기어코 '내가 이렇게 했을 때 A가 그렇게 느꼈을 수도 있었겠다' 싶은 부분들을 찾아 고치려고 노력했습니다.

그러다 보니 다른 사람을 만났을 때도 괜스레 움츠러들었고, 상대방이 싫어할 것 같다는 생각이 들어 이견을 내놓지 못한 채 그저 상대방의 말에 고개만 끄덕였습니다. 자기주장을 줄이면 모두가 절 좋아해줄 것만 같았거든요.

하지만 이번엔 정반대의 이유로 누군가가 저를 싫어한다는 사실을 친구에게 전해 들었습니다. 너무 우유부단하고 답답해서 말이 안 통한다는 겁니다. 자기주장을 줄이고 내 의견을 굽히면 모두가 절 좋아할 줄 알았는데 또 다른 이유로 날 싫어하는 사람이 생기니 막막하고 힘들었습니다. 도대체 어느 장단에 맞춰야 모두가 날 좋아할까 많이 고민했어요.

그때 친하게 지내던 멘토에게 이 고민을 털어놓았습니다. 그러자 그분이 이렇게 말씀하셨어요.

"민창아, 한두 사람의 비판에 상처받아 무언가를 쉽게 포기하지 마. 너에 대해 잘 알지도 못하는 사람이 쉽게 한 말에 너무 무게를 둬서 아파하지도 말고. 모든 사람을 만족시킬 순 없어. 그러니 그냥 네 본연의 모습을 보여줘. 그렇게 해도 널 좋아하고 너와 관계를 유지하고 싶은 사람들은 곁에 남아있을 거야."

멘토분의 말씀에 조금씩 용기를 내 저에 대한 안 좋은 얘기들을 신경 쓰지 않으려고 노력했고, 다시 저답게 행동하고 말하기 시작했습니다. 차츰 깨닫게 된 사실은 '모두와 잘 지낼 수는 없고, 내가 나답게 행동하더라도 날 좋아하는 사람들은 곁에 남는구나'였습니다.

물론 상대방에게 피해를 주거나, 누가 봐도 선을 넘는 과도한 태도에 피드백을 받았을 때는 당연히 고쳐야 한다고 생각해요. 하지만 그 외의 경우 누군가가 날 싫어한다고 해서 너무 스트레스 받지 마시고 굳이 나의 잘못을 찾아내서 고치려 하지 마세요.

여러분 곁에는 이미 여러분의 '나다움'을 좋아하는 사람들이 많을 거예요. 나를 잘 알지도 못하는 누군가에게 잘 보이기 위해 안절부절못하기보다는 지금 여러분 곁에 있는 소중한 사람들 곁에서 '나다운' 빛을 마음껏 뿜어내길 바라요.

상처 준 사람 때문에
네가 변할 필요 없어

아무에게나 쉽게 말하지 못할 비밀을 친한 친구에게 털어놓은 적이 있습니다. 그 친구가 비밀을 지켜줄 거라 믿었기 때문입니다.

하지만 며칠이 지나자 친구들이 전화를 걸어 그 비밀을 언급했습니다. 심지어 그중에 몇몇은 저에게는 몹시 무거운 주제인데도 그 비밀을 "그거 별일 아니다"라고 말했습니다.

비밀을 발설한 친구에게 화가 나기도 했지만, 무엇보다 함부로 남에게 속마음을 터놓은 저 자신에게 실망이 컸습니다. '역시 사람은 믿는 게 아니구나'라는 생각이 들었습니다. 배신감이 너무 컸던 탓에 이후 몇 달간은 누구를 만나도 진짜 고민이나 속마음은 꽁꽁 숨겨놓고 형식적인 대화만 이어갔습니다.

그러던 어느 날 친한 누나를 만났는데, 누나가 대뜸 저에게 "너 뭔가 변했어"라고 하는 겁니다. 제가 "뭐? 난 똑같은데"라고 대답하니 누나가 "그냥 불편해 보여"라고 말했습니다.

누나의 말에 몇 달간 애써 유지하고 있던 방어막이 무너졌고 그간 있었던 일을 털어놓았습니다. 믿었던 친구에게 진심을 얘기했는데 친구가 그 진심을 가볍게 여겼다고, 그래서 그 후로는 아무리 가까운 사이여도 마음을 다 보여주지 않기로 다짐했다고, 그런데 그 태도가 나답지 않은 것 같아서 마음이 안 좋다고, 그래서 누나가 알아본 거라고.

그러자 누나가 이렇게 애기했습니다.

"그건 그 사람의 문제지 네가 신경 쓸 일이 아니지 않아? 가볍고 경솔한 사람에게 상처받았다고 해서 네가 꾸준히 가꿔온 건강한 가치관을 바꾸지 않았으면 좋겠어.

너의 매력은 사람을 진심으로 대하는 태도에서 나와. 너도 그래서 좋은 관계를 많이 만들었고 그들과 잘 지내고 있잖아. 나도 처음 널 만났을 때 네가 먼저 진솔하게 말해줘서 마음을 열었어. 참 괜찮은 사람 같았거든.

누군가에게 배신감을 느꼈다 하더라도 배신하는 사람이 나쁜 사람이지 네가 나쁜 사람은 아니야. 진심을 준 네가 바보가 되는 건 아니라는 거야. 어쩌다 배신을 당한다고 하더라도 그럴수록 네 진심을 알아주는 사람들이 있다는 사실이 훨씬 더 소중해지지 않아? 그게 너다운 거고."

누나의 말을 듣고 곰곰이 생각해봤습니다. 당시 저는 상처받기 싫어서 누군가에게 속마음을 드러내기를 꺼렸어요. 상대방이 어느 정도로 마음을 보여주는지 재보고, 거기에 맞춰서 딱 그만큼만 진심을 드러냈습니다. 굉장히 계산적으로 사람을 대했던 거죠.

하지만 그런 삶의 방식이 저와 맞지 않는다는 사실을 누나 덕분에 알게 됐고, 그 후로는 다시금 진솔하게 사람을 대하려고 노력했습니다.

제가 진심을 보여줬을 때 그걸 이용하는 사람이라면 상처받기보다 '그런 사람인가 보다. 안 만나면 되겠다'라고 생각하고, 진심을 두 스푼 더 얹어주는 사람이라면 '솔직하게 다가가니 좋은 사람을 만났구나'라고 생각하게 됐어요. 마음이 정말 편해졌습니다.

나는 거짓 없이 상대방을 대하는데 상대방은 그렇지 않다고 해서 상처받지 말고, 그 관계를 억지로 이어가려 하지도 마세요. 분명 여러분의 진실한 마음을 소중하게 여기고 기쁘게 보답하려는 사람들이 곁에 있을 테니까요.

목적을 가진 관계는
오래가기 어렵다

책을 처음 내고 제 책을 사람들에게 보다 많이 알리고 싶어 안달을 내던 무렵에 어떤 분을 알게 됐습니다. 마케팅 관련 일을 하시는 분이었는데, 첫 만남부터 제게 굉장히 많은 기대를 불어넣어 주셨어요.

"저만 믿으세요. 제가 잘되게 해드릴게요."

"이거 남들한텐 몇백만 원 받는데 그냥 해드릴게요."

그렇게 목적을 가지고 시작한 관계는 일방적으로 기울 수밖에 없었습니다. 저는 언제나 부푼 기대감을 안고 그분을 만났고 잘 보이기 위해 매번 선물도 준비했으며 잘 못 마시는 술도 억지로 마셨습니다. 또 혹여나 주말에 행사라도 잡힐까 봐 매번 스케줄을 비워놨어요.

그렇게 만남을 거듭하는 동안 '이제는 도와줄 때가 됐는데, 저번에 약속한 방송 촬영 건은 왜 얘기가 없지?'라며 마음이 조급해졌습니다. 그리고 결국엔 아무런 성과 없이 그분과 자연스럽게 멀어졌습니다.

그분과의 일을 겪고 난 뒤 느낀 점은 두 가지였어요.

첫 번째는 한쪽이 너무 많은 기대를 하는 관계는 동등하게 지속되기 힘들다는 것이었고, 두 번째는 기회란 다른 사람들에게 잘 보이려고 노력했을 때 찾아오는 것이 아니라 스스로 꾸준히 내면을 가꾸고 내공을 채워 넣을 때 자연스레 찾아온다는 것이었습니다.

지나고 나니 그땐 참 대단해 보이고 멋져 보였던 대표님들, 손가락만 한 번 튕기면 내 인생을 한 방에 꽃길로 만들어줄 수 있는 영웅 같던 그들도 결국 사람이고, 그들도 그들의 인생이 우선이라는 생각이 들었습니다.

그 후론 사람을 대할 때 그가 나에게 뭔가를 제공할 수 있을 거라는 기대를 내려놓았고, 저 또한 사람들이 저에게 기대하는 모습을 충족시키려고 힘쓰는 대신 온전히 저만의 삶을 살기 위해 많이 노력했어요. 그러자 새로운 사람들을 만날 때 훨씬 편해져 자연스러운 모습을 보여줄 수 있게 되었습니다.

과거에는 '이 사람이 내게 뭘 줄 수 있을까'에 초점을 맞추고 살았다면, 지금은 '이 사람과 있으면 행복하고 즐거울까'에 초점을 맞추며 살고 있어요.

이런 삶의 태도 덕에 가식이라는 갑옷으로 무장하고 있던 제가 그 갑옷을 벗을 수 있지 않았나 싶습니다.

누군가를 만날 때 그가 나에게 어떤 도움을 줄 거라고 기대하면 필연적으로 실망도 따라옵니다. 목적을 가지고 대하기보단 함께하는 순간에 집중하는 것이 관계를 오래 지속할 수 있는 비법일 거예요.

견딜 필요 없어,
사람은 계절이 아니니까

예전의 저는 누군가가 절 싫어하지 않도록 굉장히 노력했습니다. 누군가가 절 싫어한다는 사실이 견딜 수 없이 힘들었어요.

절 별로 안 좋아한다는 느낌이 드는 사람을 만나면 제게 무슨 문제가 있나 싶어 전전긍긍했고, 그 사람 구미에 맞추기 위해 보이는 것에도 많이 집착했습니다.

하지만 돌이켜보면 그렇게 일방적으로 마음을 줬던 사람들과 함께 있는 순간은 언제나 살얼음판이었습니다. 날카롭게 형성된 감정의 빙하 조각 사이를 위태로운 자세로 지나가고 있었던 거죠.

이 빙하 조각은 언제 어디서 어떻게 와르륵 깨져 무너질지 몰랐기에 저는 그 살얼음판을 걸을 때 조심하고 또 조심했습니다. 그러나 어쩔 수 없이 넘어지고 미끄러져서 생채기를 입는 순간이 있었습니다. 예고 없이 닥친 통증에 너무나도 괴롭고 아팠어요.

'도대체 왜? 이렇게 조심조심 걸었는데, 널 어루만져줬고 일방적으로 맞춰줬는데 넌 왜 나에게 따스한 말 한마디조차 해주지 않는 거야?'

매번 상처받고 힘들어하던 시기에 멘토처럼 따르던 선배에게 제 고민을 털어놨습니다. 그러자 선배가 말했습니다.

"너를 뜨겁게 안아줄 수 있는 여름과 선선한 바람으로 기분 좋게 해줄 가을이 있는데 왜 굳이 차가운 겨울을 이기려 하는 거야? 사람은 계절이 아니잖아. 괴로운데 억지로 견뎌낼 필요는 없어. 너를 좋아하는 사람들에게 최선을 다하며 좋은 관계를 만들어갔으면 좋겠다."

서울대 정신건강의학과 윤대현 교수는, 인간에게는 기본적으로 이중적인 욕구가 있다고 말합니다. 첫 번째는 나의 테두리에 누가 들어오기를 꺼려하는 독립과 자유의 욕구. 두 번째는 그러면서도 누군가와 가까워지고 싶은 친밀의 욕구.

이 두 가지가 부딪히며 모순을 형성하고, 모두에게 사랑받고 싶다는 비현실적인 이상향을 설정한다는 거죠. 덧붙여 윤대현 교수는 내가 아무리 노력해도 날 미워할 사람은 존재하기에 결국 내 맷집을 길러야 한다고 말합니다. '미움받을 용기'란 특별한 게 아니라, 저 사람 또한 나를 미워할 자유가 있다는 사실을 인정하는 것이라고요.

평생 사랑할 것만 같던 연인과도 사소한 갈등으로 남이 되고, 오랜 세월을 함께한 친구와도 아주 작은 다툼으로 인연이 끊기는 일이 허다합니다.

그러니 결국 내가 상처받지 않으려면 이 사실을 인정하는 게 제일 중요하겠죠.

나에게 사랑을 갈구할 자유가 있다면
다른 사람들 또한 나를 미워할 자유가 있다.

상황을 조금 더 편하게 만들어주세요

3년 전 선릉역 근처 카페에서 강연을 했을 때였습니다.

책을 낸 지 얼마 안 된 때였고 강연 경험도 몇 번 없어 강연 전날이면 매번 잠을 설쳤습니다. 그러다 보니 강연 당일에는 무리가 따를 수밖에 없었고, 직장생활도 병행하고 있어서 몸이 곪을 대로 곪았죠.

그러다 일이 터졌습니다. 강연은 토요일 이른 아침이었고, 저는 강원도에 살았기 때문에 제때 도착하려면 가는 데 넉넉하게 두 시간은 잡아야 했어요. 그런데 너무 피곤했는지 강연 세 시간 전에 맞춰 놓은 알람을 못 듣고 계속 자다가 두 시간 전에 겨우 눈을 뜬 겁니다.

급하게 씻고 머리도 제대로 만지지 못한 채 사인해둔 책 몇 권과 노트북을 캐리어에 담아 차에 싣고 출발했습니다.

강연 시간은 다가오지, 차는 고속도로에 거북이처럼 기어가지, 운전대를 잡고 있는 내내 안절부절못했습니다. '조금만 더 일찍 일어났더라면 버스 타고 여유롭게 갈 수 있었을 텐데 왜 알람을 못 들었지'라고 자책하며 가까스로 서울에 도착했습니다.

강연 장소에 닿자마자 서둘러 주차하고 카페로 뛰어갔습니다. 강연을 한다고 정장을 갖춰 입었는데, 많은 사람을 기다리게 만들었다는 죄책감에 차에서 내리자마자 헐레벌떡 캐리어를 끌고 뛰어갔더니 정장이 땀에 절고 머리도 엉망이 됐습니다.

소중한 기회를 주신 주최자분에게도 죄송해서 고개를 들지 못하겠더라고요. 그러나 주최자분은 웃는 얼굴로 저를 맞아주시며 이렇게 말씀하셨습니다.

"먼 곳에서 오느라 고생 많으셨습니다. 캐리어가 많이 무거웠죠? 이리 주세요. 저희도 커피 마시면서 권 작가님 책 얘기하고 있었어요. 여유 있게 대관해놨으니 에어컨 바람 좀 쐬고 천천히 시작하셔도 됩니다. 귀한 시간 내주셔서 다시 한번 감사드립니다."

그 말에 긴장이 풀려서일까요, 그날 강연은 정말 재밌게 했습니다. 10분이나 늦었는데 탓하거나 원망의 눈길을 보내지 않으시고 오히려 감사 인사부터 해주신 그분 덕분에 조금이나마 부담을 덜고

더욱 열정적으로 강연을 할 수 있었습니다. 그 후 주최자분과는 지속적으로 연락하며 몇 번의 강연을 더 진행했습니다. 물론 그 뒤론 한 번도 늦지 않았습니다.

모든 게 다 자기가 원하는 대로 갖춰진 경우에 사람들은 누구나 친절합니다. 저도 마찬가지였습니다. 하지만 제가 통제할 수 없는 변수가 생겼을 때는 무척 언짢고 쉽게 넘기지 못하는 편이었어요. 제가 먼저 실수한 적은 없고 항상 봉변을 당한다고만 생각했기 때문입니다.

그런데 그날 강연에서는 제가 주최자분에게 통제할 수 없는 변수를 제공했고 명백히 저에게 책임이 있었는데도, 주최자분은 제가 미안해하지 않게 감싸주는 관대함을 보여주셨습니다. 그렇게 한 번 호의를 경험하고 나니 저도 누군가의 실수로 난감해지는 상황이 생기면 너그럽게 넘어가려고 노력하게 되더라고요.

물론 잘잘못에 대한 냉정한 비판과 질책이 성장의 자양분이 될 수도 있습니다만, 상대방이 이미 자신의 잘못을 알고 뉘우치고 있다면 마음을 좀 더 편하게 만들어주는 여유를 제공해보는 게 어떨까요? 그 따뜻함에 상대방은 여러분에게 진심으로 감사할 것이고, 언젠가 또 다른 누군가에게 융통성을 발휘할 수 있을 거예요.

정답보다 강한 센스

스피치 학원을 운영하는 대표님에게 들은 이야기입니다. 그 대표님이 가르치는 학생이 대기업 서류전형을 통과하고 면접을 준비하고 있었다고 해요. 보통 면접 마지막에는 "마지막으로 하고 싶은 말이 있다면?"이라는 질문이 나옵니다. 그 학생은 마지막 질문을 완벽하게 소화하고 싶어 영어 스피치로 자신이 이 회사에 입사하고 싶은 이유를 한 달 동안 준비했습니다.

면접 날이 다가왔습니다. 그런데 그 학생의 차례는 월요일부터 일주일간 진행된 면접 기간 중 금요일, 그것도 마지막 시간대였고, 학생이 면접장으로 들어갔을 때 예상대로 면접관들은 얼굴에서 지친 기색을 감추지 못하고 있었습니다. 면접관들은 형식적인 질문을 던졌고, 학생이 열심히 답을 해도 무성의하게 끄적거리기만 할 뿐 눈을 변변히 마주치려 하지도 않았습니다. 그리고 끝에는 역시 "마지막으로 하고 싶은 말이 있다면?"이라는 질문이 나왔습니다.

학생은 그 순간 엄청난 고민에 휩싸였다고 합니다. 이 질문을 위해 한 달 동안 영어 스피치를 준비했지만 지금 이 상황에서 영어 스피치를 해도 괜찮을지 망설여졌다고 해요. 결국 그는 면접관들에게 이렇게 말했습니다.

"사실 제가 이 질문을 위해 약 한 달 정도 10분의 영어 스피치를 준비했습니다. 그만큼 간절하게 입사하고 싶었기 때문입니다. 하지만 지금 면접관님들은 하루 종일 면접을 보시느라 많이 피곤하고 지쳐 보이십니다. 그렇기에 저는 영어 스피치 대신 면접관님들에게 이 말씀을 드리고 마치도록 하겠습니다. 한 주 동안 정말 고생 많으셨습니다. 귀한 시간 내주셔서 감사합니다."

그 순간 면접관들은 숙인 고개를 들어 이 지원자가 누군지 다시 보았고, 며칠 뒤 그 학생은 엄청난 경쟁률을 뚫고 '합격'이라는 통지표를 받았다고 합니다. 한 달 동안 열심히 준비한 영어 스피치를 하지 않고도 말입니다.

아마 면접관들은 이 지원자가 얼마나 간절한 마음으로 면접을 준비했는지 너무나도 잘 알았을 겁니다. 자신감 넘치는 태도, 씩씩

한 목소리에서 이미 느꼈겠죠. 마지막으로 하고 싶은 말이 있냐고 묻던 그 순간 얼마나 자신을 보여주고 싶었을지도 알았을 겁니다. 그러나 그 욕망을 억누르고 면접관의 컨디션을 먼저 생각해주는 섬세함과 분위기를 읽는 능력에서 이 지원자는 '인재'라고 확신했을 거예요.

가끔 어떤 상황에서든 자신의 모든 걸 100퍼센트 보여주기 위해 최선을 다하는 사람들이 있습니다. 분명 대단한 사람들입니다. 그러나 저는 상황을 적절히 판단하고 융통성 있게 대처해 상대방과 자신 모두를 기분 좋게 만드는 사람들이 더 대단하다고 생각합니다. 이 사람들은 그 공간의 분위기를 바꿔버리는 사람들입니다. 자신을 누를 줄 아는 인내, 상대방을 살필 줄 아는 섬세함, 순간적으로 분위기를 읽는 센스. 이런 덕목들이 때로는 '정답'보다 강합니다.

관용은 기품을 만든다

작지만 아늑하고 조용한 카페에 들른 적이 있습니다. 실베스터 스탤론을 닮은 꽃중년의 사장님이 웃으며 주문을 받으셨고, 저는 늘 마시는 라테를 주문했습니다.

머그컵에 따스하게 담긴 라테를 받아 테이블 모서리 쪽에 놓고 작업을 위해 노트북을 꺼내는 순간, 노트북 가장자리가 컵을 건드려 컵이 바닥에 떨어지면서 산산조각이 났습니다.

고즈넉하던 카페인지라 컵 깨지는 소리가 더더욱 요란하게 들렸습니다. 제가 카페 분위기를 망가뜨린 것 같아 얼굴이 달아올랐습니다.

그때 사장님이 쓰레받기와 빗자루를 들고 다가오셨습니다. 저는 사장님이 당연히 짜증 섞인 목소리로 '조심 좀 하지'라고 얘기하실 줄 알았습니다. 그렇게 얘기하셔도 할 말이 없었으니까요.

그런데 사장님은 걱정스런 얼굴로 절 보시더니 "괜찮으세요?"라고 말씀하셨습니다. 얼떨결에 "네, 괜찮습니다"라고 대답하자 연이어 "어디 다치신 데는 없고요?"라고 물어보셨어요.

다시 한번 "네, 괜찮습니다. 정말 죄송합니다. 변상하겠습니다"라고 말씀드리니 "다행이네요. 깨진 컵은 걱정하지 마세요. 한 잔 더 해드릴게요. 그래도 오셨는데 맛있는 커피는 마시고 가셔야지. 우리 카페 라테가 별미예요"라고 얘기하셨어요.

사장님이 컵값 변상도 안 받으신다면, 저는 음료를 새로 주문하는 게 당연하다고 생각했습니다. 그래서 다시 계산하겠다고 말씀드리니 사장님은 끝까지 괜찮다며 사양하셨어요.

죄송한 마음에 예정에도 없던 초코케이크를 추가로 주문했고, 케이크와 함께 나온 두 번째 라테는 사장님 말씀대로 정말 맛있었습니다.

커피와 케이크를 다 먹고 카페를 나가기 전에 사장님께 다시 한 번 죄송하다고 말씀드렸습니다. 그때 사장님이 저에게 하신 말씀이 오래 기억에 남아요.

"손님이 편안하게 머물다 가는 카페를 만드는 게 제게는 인생의 제일 큰 의미예요. 죄송하다는 말보다는 '편안하게 있다 갑니다'라고 말씀해주세요. 편안하셨다면 그걸로 충분합니다. 기회가 되면 다음에도 또 오세요."

그날 저는 '사람에게서 기품이 느껴진다'라는 말을 몸소 체험했습니다.

기분이 좋거나 별문제가 없는 상황에서는 누구나 너그럽고 관대할 수 있습니다. 하지만 기분이 좋지 않거나 난처한 상황에서도 너그럽고 관대한 사람은 찾기 어렵습니다.

제가 카페를 운영하는데 누군가가 머그컵을 깼다고 상상하면 그 사장님처럼 너그럽기는 힘들 것 같았습니다. 청소하는 것도 번거로웠을 테고 컵 변상에 대해서도 말해야 하나 말아야 하나를 고민했을 듯해요. 하지만 사장님은 손님이 편하게 머물다 가는 것을 우선으로 삼았기에 갑자기 벌어진 난처한 상황에서도 제가 다치지 않았는지 먼저 걱정해주셨던 것 같습니다.

그 일이 있고 난 후부터 근처에서 누군가를 만날 때면 일부러 그 카페에서 약속을 잡곤 합니다. 저와 함께 있는 사람들도 그 카페에서 편안함을 느끼길 바라기 때문입니다.

사람들과 섞여 살다 보면 종종 난처한 상황이 벌어집니다. 예전 같았으면 쉽게 흥분하고 옹졸하게 굴었겠지만 카페 사장님이 베풀어준 관용이 떠오를 때마다 한 번 더 상대방의 입장을 헤아려보게 됐습니다.

'저 사람은 얼마나 당황스러울까? 사람은 누구나 실수할 수 있지.'

그런 마음으로 관용을 베풀면 상대방도 저의 호의를 마음속에 간직했다가 제가 어려움을 겪을 때 흔쾌히 도움의 손길을 내밀어주는 것 같아요. 그리고 그렇게 온정을 주고받은 관계가 제 삶을 훨씬 풍윤하게 만들어줬습니다.

가끔 그때 그 카페 사장님의 배려가 생각납니다. 사장님에겐 기억도 잘 나지 않는 작은 친절이었을 수 있겠지만 저는 그 마음이 오랫동안 기억에 남아있습니다.

투덜이 택시 기사가 내게 남긴 것

최근에 택시를 탔다가 썩 유쾌하지 않은 일을 겪었습니다. 약속 장소가 도심과는 좀 떨어진 곳이라 택시가 잘 잡힐 것 같지 않아 일반 호출보다 좀 더 비싼 스마트호출을 선택했습니다. 스마트호출을 누르자마자 택시가 잡혔습니다.

운이 좋다고 생각하며 기분 좋게 택시를 탔더니 기사님이 인상을 찌푸리며 괜히 잡았다고 얘기하시는 겁니다. 조금 언짢은 마음이 들었지만 "그럼 잡지 말지 그러셨어요?"라고 대꾸하면 서로 감정만 상할 것 같아서 가만히 있었습니다.

제가 아무 반응 없이 미소만 짓고 말자 기사님은 이내 다른 얘기를 하십니다. 차를 산 지 두 달밖에 안 됐는데 정비소에서 정비를 이상하게 해놔서 일을 며칠 못 하게 생겼다, 이전 손님이 휴대전화를 두고 내려서 찾아주러 가야 한다, 오늘 진짜 미쳐버리겠다, 돈도 안 되는 곳 가니까 중간에 그 손님 휴대전화 좀 가져다주겠다, 라고요.

기사님은 제 동의도 구하지 않은 채 목적지로 가는 길에서 벗어나 휴대전화를 돌려주러 갔습니다. 휴대전화를 받은 이전 손님은 기사님에게 감사의 표시로 2만 원을 드리더군요. 돈을 받은 기사님은 다시 목적지로 출발하면서 또 불평불만을 늘어놓습니다. 그 휴대전화 어차피 구청에 가져다줘도 2만 원 받는다, 그런데 나는 직접 가져다주고 2만 원 받았다, 내가 참 좋은 일 하는 사람이다, 예전에 현금 1600만 원을 놔두고 내린 사람이 있었는데, 그 사람 돈도 돌려줬다…….

별로 궁금하지도 않은 일들을 목에 핏대를 세우며 말씀하십니다. 저는 그냥 "아, 그러셨군요"라고 짧게 대꾸하고 창밖을 바라봤습니다.

목적지에 가까워지자 기사님이 도심으로 돌아갈 때는 태울 손님도 없어 적자라는 말을 계속하십니다. 팁을 바라는 듯했지만 저는 차가 멈추자마자 요금을 지불하고 "고생하셨습니다." 하고 말한 뒤 재빨리 내렸습니다.

택시에서 내리니 눈앞에 아름다운 풍경이 펼쳐졌습니다. 분명 택시 안은 따뜻하고 안락했지만 제 마음이 너무 불편했나 봐요. 불과 30분 정도만 같이 있었는데도 택시 기사님의 부정적인 가치관이 전이된 듯했습니다.

다행히 목적지에서 만난 근사한 풍경과 반갑게 저를 맞아준 친구 덕에 불쾌한 기분을 얼른 떨쳐낼 수 있었습니다.

누구나 불평하고 싶을 때가 있습니다. 적당한 불평은 고민이나 갈등을 잠시나마 해소해주기도 합니다. 그러나 불평이 습관으로 굳어졌다면 자신을 돌아봐야 합니다. 불평이 습관이 된 사람들은 모든 상황을 삐딱하게 해석하고 판단합니다. 나아가 자신은 솔직해서 있는 그대로밖에 말을 못 한다며, 상대방에게 상처 주는 말을 하고 부정적인 감정을 전이시킵니다. 그러나 그것은 진실의 가면을 쓴 무례함에 지나지 않습니다. 습관처럼 불평하는 사람들의 부정적인 에너지에 전염될 필요는 없습니다.

그 사람이 쓰는 말과 글, 행동이 그 사람의 세계를 보여준다는 생각을 항상 합니다. 제가 함께 있을 때 마음이 충전된다고 느낀 사람들은 긍정적인 말로 주변에 힘을 불어넣고 매사에 최선을 다하는 태도를 가진 사람들이었습니다.

저는 누군가에게 다시는 보고 싶지 않은 사람이기보다 한 번 더 보고 싶고 한마디 더 나누고 싶은 사람이길 바랍니다. 그리고 저도 그런 사람들과 함께 소중한 시간을 보내고 싶습니다. 언뜻 사소하게 여겨지는, 작지만 반짝이는 순간들이 우리의 인생을 훨씬 더 윤택하게 만들어주니까요.

넌 항상 내가 먼저 연락해야 하더라

"잘 지내냐?"

몇 달 전, 썩 반갑지 않은 지인인 A에게서 전화가 왔습니다.

"그냥 그렇게 지내지. 넌 잘 지내냐?"

통화를 이어가긴 했지만 A는 여전히 제 얘기는 듣지도 않은 채 자기 근황만 늘어놓았습니다. 요즘 내가 하는 일이…… 만나는 사람이…… 요즘 관심 두고 있는 것들이……. 그렇게 한참을 혼자 얘기하다 더 할 말이 없어졌는지, 언제나 그렇듯 조만간 한번 보자며 대화를 마무리하면서 "넌 항상 내가 먼저 연락해야 하더라. 서운하게"라고 덧붙입니다.

저는 "내가 원래 연락 잘 안 하는 편이잖아. 이해해줘"라고 말했습니다. 사실은 연락하고 싶지 않아서 안 한 건데 말이죠.

하지만 저 역시 A처럼, 만난 지 오래된 친구에게 연락하면서 서운함을 느낄 때가 있었습니다. 항상 저만 먼저 연락하는 것 같고, 상대방은 저에게 관심도 없다고 생각했으니까요. 그래서 섭섭하다고 얘기하면 상대방은 저에게 미안한 목소리로 "내가 요즘 정신이 없다"라고 하거나 "내가 원래 연락 먼저 잘 안 해"라고 대답했습니다.

얼마 전 예전에 살던 동네에서 무척 친하게 지냈던 형에게 3년 만에 "잘 사냐"라고 연락이 왔습니다. 친하게 지내는 동안에는 함께 있는 게 매우 즐거웠고, 제가 많이 따랐는데도 3년간 그 형의 존재를 잊고 지냈던 것 같아요. 아니면 연락을 하지 않아도 언제든 반갑게 만날 수 있을 거라는 믿음이 있었는지도 모릅니다.

"형, 너무 오랜만이에요. 잘 지내셨어요? 제가 먼저 연락 못 드려서 미안해요."

그러자 형이 "뭘, 보고 싶고 생각나는 사람이 먼저 연락하는 거지"라고 말하더군요. 통화를 끊기 전 형이, "민창아, 가끔 이렇게 통화하고 기회가 되면 볼 수 있었으면 좋겠다"라고 말했습니다.

그날 형은 제게 어떤 서운함도 아쉬움도 표현하지 않았지만 저는 형에 대한 묵직한 그리움의 여운이 오래도록 남았습니다.

형과 통화를 마치고 나서, 연락을 자주 하지 않는다며 제가 다그

치고 서운함을 표했던 지인들 생각이 많이 났습니다. 사실 다그침과 서운함 이면에는 그리움이 있었을 텐데 서운한 마음이 앞서서 표현에 서툴렀고, 그래서 상대방에게 부담을 준 게 아닌가 싶습니다.

그리고 A라는 친구도 떠올랐습니다. A도 제가 기억나고 보고 싶으니까 가끔 이렇게 자신의 안부를 전하고 서운함을 표하는 거라고 생각하자 오히려 고마운 마음이 들었습니다.

누가 먼저 연락하냐는 그다지 중요하지 않은 것 같아요. 그보다는 먼저 연락하는 사람은 섭섭함보다는 반가움을 표했으면 좋겠고 받는 사람은 미안함보다는 감사함을 느꼈으면 좋겠습니다. 그래야 서로에게 부담 없고 담백한 관계를 이어나갈 수 있을 테니까요.

합리적으로
값을 매길 수 없는 것들

소중한 누군가에게 꽃을 선물할 기회가 있었습니다. 생화를 선물할지 조화를 선물할지 고민스럽더군요. 사실 제 생각으로는 받는 입장에서는 반영구적인 드라이 플라워나 정교하게 만들어진 조화가 편할 것 같았습니다. 생화는 금방 시들잖아요.

그래서 주변 사람에게 물었습니다. 소중한 사람이 생겨서 꽃을 선물하고 싶은데 생생하지만 금방 시드는 생화가 낫냐, 아니면 비록 살아있지는 않지만 실용적인 조화가 낫냐고요.

백이면 백, 당연히 생화라고 하더군요.

처음엔 사실 잘 이해가 되지 않았습니다. 조화보다 뚜렷하게 나은 점도 없고, 단지 아직 살아있다는 것뿐이라고 생각했거든요.

하지만 다시 고민해보니 실용성과 관리의 편리함 등 조화의 모든 장점을 고려하더라도 받는 사람 입장에선 생화가 훨씬 더 기분이 좋겠다는 걸 깨달았습니다. 살아있다는 것만으로도 충분히 가치 있기에 상대방에게 진심을 전하기에 훌륭한 선물이라는 생각이 들었거든요.

제가 실용성만을 따졌다면 꽃을 선물했을 때 상대방에게 어떤 효용 가치가 있느냐를 계산했을 겁니다. 하지만 주변 사람들의 조언에 따라 싱그러운 꽃다발을 선물하자 감동에 가득 차 기뻐하는 표정으로 상대방이 저를 안아줬을 때의 그 벅찬 행복은 값을 매길 수 없겠더라고요.

조화처럼 실용성과 편리함의 장점을 가진 것들이 많습니다. 그리고 우리는 우리 자신이 꽤나 이성적이라고 믿기에 합리적인 선택을 추구하려 합니다. 하지만 살아있기에 생명의 향기를 뿜어내는 생화처럼 결국 사람은 상대방의 생생한 진심에 끌리게 되는 것 같아요.

첫 만남의 호감이 진심이 되기까지

2019년 MBC 연예대상을 받은 개그우먼 박나래 씨의 수상 소감을 듣던 중 인상 깊은 대목이 있었습니다.

"제가 키가 148이거든요? 많이 작죠. 근데 여기 위에서 보니까 처음으로 사람 정수리를 봐요. 저는 한 번도 제가 높은 곳에 있다고 생각도 안 했고 누군가의 위에 있다는 생각도 안 했습니다. 제가 볼 수 있는 시선은 여러분의 턱 아니면 콧구멍이에요. 그래서 항상 여러분의 바닥에서 위를 우러러보는 게 너무 행복했습니다. (…) 저는 사실 착한 사람도 아닙니다. 선한 사람도 아니고. 하지만 예능인 박나래는 TV에 나오면 저의 말 한마디, 행동 하나가 모든 사람에게 영향을 줄 수 있다고 생각합니다. 사람 박나래는 나빠도 예능인 박나래는 선한 웃음 줄 수 있게 열심히 노력하겠습니다. 저 진짜 열심히 할 테니까. 그리고 항상 거만하지 않고 낮은 자세에 있겠습니다. 어차피 작아서 높이도 못 가요. 감사합니다."

지난겨울 청소년지도사 자격증을 취득하기 위해 3박 4일 합숙을 하며 만난 룸메이트에게 두 명의 연예인 얘기를 들었습니다. 한 명은 고향 친구로 어릴 때부터 알던 사이고, 한 명은 대학교 후배라고 했습니다. 어릴 때부터 알던 친구는 연예인이 되고 난 후 무척 거만해져서 고향 친구들도 다 등을 돌렸다며 별로 좋지 않은 얘기를 했습니다. 그러나 두 번째로 얘기한 대학교 후배에 대해서는 칭찬을 아끼지 않았습니다.

대학교 때도 굉장히 반듯한 후배였는데, 뜨고 나서 지금까지도 연락의 끈을 놓지 않고 시간을 내서 모임에 나오려고 노력한다고, 연예인이 되어서도 하나도 달라진 게 없다고요.

그분이 말하던 대학교 후배가 바로 박나래 씨였습니다. 그 얘기를 들었을 땐 그냥 '박나래 씨가 좋은 사람이구나'라고 생각하고 말았습니다. 하지만 그 이후로 그 얘기가 계속 떠올라 TV에 나오는 박나래 씨의 행동을 유심히 보았어요.

개그에는 세 종류가 있습니다.

첫 번째는 표정이나 행동으로 사람들에게 재미를 주는 경우, 두 번째는 자신을 낮춰서 사람들에게 재미를 주는 경우, 세 번째는 누군가를 놀리고 바보 취급 하면서 사람들에게 재미를 주는 경우.

세 번째 개그는 제일 쉬우나 조금 위험합니다. 놀림받는 당사자에겐 그 개그가 재밌지 않을 것이고, 그런 가학적인 측면 때문에 다른 사람들이 '너무 심한 거 아니야?'라고 생각하며 께름칙해할 수 있기 때문입니다. 저 역시 누군가가 세 번째 방법으로 상대방을 웃길 때는 조금은 불편하게 바라보는 편입니다.

하지만 박나래 씨는 세 번째 방법을 좀처럼 사용하지 않았어요. 보는 사람들이 불편하지 않을 적정선에서 개그를 시도하고, 자신을 한없이 낮추고 또 낮추는 동시에 다른 사람들을 높이며 웃음을 줬습니다. '박나래'라는 사람이 정말 멋있어 보이더군요. 누군가를 희화화하고 웃음거리로 삼는 개그가 무의식중에 나올 수도 있는데, 그런 장면을 귀신같이 캐치하는 방송사의 레이더망에도 걸리지 않을 정도로 그녀는 올곧은 사람 같아 보였습니다. 그리고 누구보다 열심히 했어요.

어느새 진심으로 그녀를 응원하고 있더군요. 그래서 그녀의 수상 소감을 듣다가 저도 같이 울컥했습니다. 그녀에게 말하고 싶었어요. 당신은 선한 사람이라고, 누구보다 열심히 했다고, 이미 많은 사람에게 기쁨과 즐거움을 선사하고 있다고, 정말 가치 있고 소중한 사람이라고요.

저도 누군가에게 좋은 사람, 착한 사람이 되고 싶어 본심과는 다르게 행동할 때가 많았습니다. 하지만 시간이 지나면서 결국엔 위선이었음이 드러나고, 상대방도 제가 단순히 좋은 사람이라는 '가면'을 썼을 뿐임을 알아채면서 좋았던 첫인상이 무색하게 상대에게 큰 실망감을 안겨주기도 했습니다.

첫 만남에 누군가에게 호감을 사는 건 어렵지 않습니다. 외모가 뛰어나거나 말을 잘하거나 재력이 있거나 친절하게 행동하거나 상대방을 적절히 칭찬하면 됩니다. 하지만 호감에서 나아가 그 사람의 마음을 얻기 위해선 결국엔 가면이 아니라 진짜 얼굴을 보여줘야 한다는 생각이 듭니다. 하지만 그건 정말 어려운 일이기에, 어떤 상황에서도 남을 존중하면서 사람들에게 웃음을 주는 박나래 씨를 많은 사람들이 진심으로 존경하는지도 모릅니다.

아무쪼록 그녀가 더더욱 잘되어서 많은 사람에게 선한 웃음과 위안을 전달했으면 좋겠습니다. 그리고 그녀의 수상 소감 중, 자신이 대상을 받지 않더라도 다른 후보를 진심으로 응원해주고 축하해주는 선배님들 같은 사람이 되고 싶다는 말처럼 저도 제가 놓인 상황과 상관없이 타인을 축복해줄 수 있는 성숙한 사람이 되고 싶습니다.

언행일치의 미덕

사람은 말과 행동을 기준으로 다음과 같은 세 가지 유형으로 나눌 수 있습니다.

첫 번째는 말이 앞서는 사람, 두 번째는 행동이 앞서는 사람, 세 번째는 말과 행동이 조화를 이루는 사람입니다.

첫 번째 유형의 사람들은 말의 무게를 간과할 때가 많습니다. "내가 도와줄게", "그거 내가 책임질게"라고 했다가 어떻게 되었냐고 다시 물어보면 그런 말을 했다는 사실조차 잊고 있는 경우가 있습니다. 그제서야 아차 하며 밀린 일들을 부랴부랴 처리합니다.

사랑하는 관계에서도 마찬가지입니다. 상대방이 섭섭함을 토로

하면 말로만 사랑한다고 하고 "내가 더 잘할게"라며 달래며 당장 싸움만 모면할 뿐 결국 같은 실수를 반복합니다.

한두 번은 용납될 수 있을지 모르겠지만 이런 일들이 반복되면 사람들에게 신뢰를 잃습니다. 인생의 중요한 순간, 누군가의 도움이 간절히 필요할 때 모두가 등을 돌릴 수 있습니다.

두 번째 유형의 사람들은 말보다 행동이 더 중요하다고 생각합니다. 어떤 일을 수행할 때 의논하기 전에 일단 움직입니다. 성과는 잘 나올 수 있으나 함께하는 동료는 충분한 소통이 이루어지지 않아 답답해하고 섭섭해하기 쉽습니다.

사랑할 때도 뒤에서 조용히 연인을 챙겨주되 애정 표현에 있어서는 "그걸 꼭 말로 해야 알아?"라며 대답을 회피하는 타입입니다. 말이 그다지 중요하다고 생각하지 않고 표현이 서툴기 때문에 본의 아니게 상대방에게 상처를 줄 수 있습니다.

세 번째 유형의 사람들은 말과 행동이 조화를 이룹니다. 상대방을 배려하며 따뜻한 말을 건네면서도 결코 말에서 그치지 않고 더 나은 결과를 위해 행동으로 옮깁니다. 첫 번째 유형처럼 책임지지 못할 말을 하지 않기 위해 노력하고, 두 번째 유형처럼 상대방과 소통이 안 돼 답답한 상황을 만들지 않기 위해 최선을 다합니다. 세 번째 유형의 사람들과 함께 있으면 내 사소한 말과 행동 하나하나가 존중받고 있다는 생각이 듭니다.

듣기 좋은 말을 하는 것도, 실천에 옮기는 것도 중요하지만 간과하지 말아야 할 것은 두 가지가 조화를 이뤄야 한다는 점입니다. 상대방을 존중하고 있음을 말로 표현하고 상대와의 신뢰를 행동으로 쌓으면서 더더욱 굳건한 관계를 만들어가시길 바랍니다.

힘을 빼야
침을 맞을 수 있듯

허리가 갑자기 아파 한의원에 들렀습니다. 사람 좋아 보이는 한의사님이 친절하게 맞아주셨어요.

"어디가 아파서 오셨나요?"

허리가 뻐근해서 왔다고 하니까 제 허리를 이리저리 만져보더니 치료실로 가있으라고 하셨습니다. 사실 저는 겉모습과 다르게 주사도 잘 못 맞고 침도 굉장히 무서워해서 치료를 기다리는 그 시간이 굉장히 두려웠습니다.

10분 정도 지났을까요, 한의사님이 들어와 제 등을 만지더니 "힘 빼세요. 힘주면 더 아파요"라고 하시며 침을 꽂고 톡톡 두 번 밀어 넣었습니다. 그 순간 아파서 헉 하는 소리를 내자 한의사님이 말씀하셨습니다.

“힘을 주고 있으면 근육이 긴장해서 침이 더 아프게 들어가요. 몸이 이완된 상태에서 맞아야 덜 아프고 더 잘 들어갑니다.”

그 말을 듣고 나니 긴장이 풀려 몸에 힘이 자연스레 빠졌고, 그러자 정말로 침이 훨씬 덜 아팠어요.

인간관계도 침을 맞는 것과 마찬가지라는 생각이 듭니다.

때때로 인간관계에 과도하게 힘을 주고 있는 사람들을 만납니다. 과도하게 예의를 차려서 어색해 보인다거나, 과도하게 자신감이 넘쳐서 부담스럽거나, 과도하게 누군가를 분석하고 가르치려 해서 당황스러운 사람 등입니다.

이런 사람들의 공통적인 심리는 보통 ‘누군가에게 잘 보이고 싶다’에서 출발합니다. 하지만 잘 보이고자 시작한 행동이 습관으로 고착되고, 나중에는 그렇게 얻은 좋은 평판이나 인간관계, 잘 쌓아온 이미지 등을 잃을까 봐 상대방이 불편해하는 걸 알면서도 무리하게 쥔 주먹을 풀지 않습니다. 자연스러운 행동이 아니기에 상대방도 부담스럽고, 본인도 몸에 맞지 않는 옷을 입고 있는 기분입니다. 좋은 사람들이라는 침이 그를 편하게 해주려고 해도 아프기 싫어서 힘을 꽉 주고 침을 튕겨냅니다.

저도 예전에는 그랬어요. 누군가에게 멋진 사람이고 싶어 두 주먹을 꽉 쥐며 살았습니다. 좋은 침들을 튕겨낸 바람에 내면의 빼근

함을 치료하지 못한 채 더 크게 키우기만 했어요. 두 주먹의 힘을 빼는 순간 내가 가진 모든 것을 잃을 테니 그게 최선이라고 믿었습니다. 하지만 주변의 훌륭한 한의사분들을 만나 마음에 힘을 빼고 침을 맞기 시작했더니 차차 통증이 사라졌습니다.

과도하게 힘을 주고 사람들을 대하다 보면 필연적으로 지치는 시기가 옵니다. 무엇보다 스스로가 정말 피곤해요. 하지만 긴장을 풀면 내 약점이 노출될지도 모른다는 생각, 그러면 내가 얕보이고 많은 것을 잃을 수도 있겠다는 생각 때문에 피곤해도 두 손을 꽉 쥔 채 누군가를 만납니다.

굳이 그럴 필요 없어요. 과도하게 힘을 준 나는 진짜 내 모습도 아닐뿐더러 그렇게 꾸민 모습은 언젠가 들통나게 마련입니다. 혹시 지금 마음 한쪽이 뻐근하게 느껴진다면, 잘 보여야 한다는 강박을 내려놓고 사람들을 대하는 연습을 해보면 어떨까요? 마음이 이완됐을 때 비로소 좋은 사람들이라는 침이 여러분을 부드럽게 치료해 줄 거예요.

무엇보다 인연을 믿어요

가장 슬프고 힘들 때 곁에 있어준 지인들이 오랜 시간 함께한 가족보다 더 소중하고 고마울 때가 있습니다. 혈육이라는 특수한 관계라 해도 아무런 왕래 없이 외면한 채 산다면 이웃만도 못할 수 있습니다. 이렇듯 남이라 할지라도 깊은 신뢰로 관계를 맺으면 가족보다도 더 마음을 나누며 함께하는 사람이 될 수 있습니다.

〈나이브스 아웃〉은 85세의 베스트셀러 작가가 자택에서 숨진 채 발견되자 익명의 의뢰를 받은 사설탐정이 그 죽음의 원인을 파헤치는 스릴러 영화입니다. 제게 이 영화에서 가장 인상적인 장면은 사설탐정이 놀라운 추리력으로 퍼즐을 하나하나 끼워 맞추던 순간도, 뜻밖의 인물이 범인으로 밝혀졌을 때도 아니었습니다.

바로 작가가 자신의 모든 재산을 피 한 방울 섞이지 않고 알게 된 지 얼마 되지도 않은 가정부 마르타에게 양도한다는 유언장이 공개되던 장면이었어요.

이 베스트셀러 작가의 가족들은 겉으로 보기엔 굉장히 화목하고 서로서로 돕는 것처럼 보입니다. 작가도 그들을 진심으로 도와주는 듯했어요. 하지만 실상은 가족들이 작가를 진심으로 아끼고 사랑한 게 아니라 작가에게 기생하며 그의 능력에 기대 돈을 타 쓰고 있었던 거죠.

작가는 몇십 년간 가족이라는 이유만으로 그들을 도와줬지만 그들은 고마워하기는커녕 갈수록 더 심하게 경제적으로 의존하려 했고, 오래전부터 작가는 그런 가족들에게 실망감과 허탈함을 느껴왔습니다.

작가는 가정부 마르타만이 유일하게 자신을 돈이나 지위로 판단하지 않고 그저 한 인간으로서 대해준다고 느꼈고 결국 그녀에게 모든 유산을 일임했습니다. 자신이 가장 어렵고 힘들었을 때 함께했던 타인이 혈육인 자식보다도 더 고마운 사람이었기 때문이죠.

유언장이 공개되는 날, 자녀들은 펄쩍 뛰며 어떻게 이럴 수 있냐고, 어떻게 아버지를 꼬신 거냐고 마르타에게 입에 담지도 못할 저주를 퍼붓습니다. 하지만 작가는 자신을 돈으로 본 자식들보다 어떤 조건도 없이 늘 곁을 지켜준 마르타가 더 소중했을 뿐입니다. 결국 가족들이 유산을 독차지하기 위해 품었던 악의와 이기심은 작가와 마르타가 나눈 진심과 선의 앞에 힘을 잃습니다.

학연, 지연, 혈연보다 저는 인연을 믿습니다.

진심을 주고받고, 그 진심 사이에 신뢰와 정성이 오갈 때 진정한 관계가 만들어진다고 믿어요.

걔 그런 애 아닌 거 알잖아

'야, B야. 너 C 기억나지. 걔가 내 이야기 안 좋게 하고 다니는 것 같던데.'

A라는 친구가 저를 포함해 몇 명이 대화를 주고받는 채팅창에 글을 올렸습니다.

최근 A가 학창시절 학원에 다니면서 친하게 지냈던 친구를 만났는데 그 친구가 '그때 그 학원 사람 중 누군가가 네 얘기를 안 좋게 하고 다닌다'라고 알려줬답니다. 뒷담화를 한 사람이 누군지는 밝히지 않고 그냥 그 사실만 말해줬나 봐요. 인간의 본성이라는 게, 그렇게 출처 없는 뒷담화를 전해 들으면 처음에는 당황스럽다가 곧

화가 나면서 범인을 찾으려 합니다. A도 마찬가지였어요. 그래서 함께 학원을 다녔던 B에게 C가 범인 아니냐며 동의를 구한 것입니다.

아무것도 모르는 저는 채팅창을 지켜보고 있었는데, B의 답장을 보고 정말 깜짝 놀랐습니다.

'야, 너 C 그런 애 아닌 거 알잖아. 걔가 얼마나 착한데. 걔 학원에서 제일 성격 좋고 열심히 하는 애였잖아. 누가 남 뒷담화하면 그만하라고 할 애지 뒤에서 남의 이야기할 애 아니야.'

B가 그렇게 말하자 A도 '그렇지? 나도 C가 그럴 애 아닌 건 아는데 걔 말고는 짚이는 사람이 없어서 그랬어'라고 했어요. 그러자 B가 A에게 대꾸했어요.

'뒷담화 들을 행동을 안 하면 돼. 자신이 떳떳하지 못하면 그런 말에 신경 쓰게 되니까. 네가 떳떳하게 행동했다면 안 좋은 얘기 들려도 무시하면 그만이야. 그런 사람들 신경 쓰는 데 들이는 노력과 시간이 아깝지 않냐.'

B의 말을 듣고 C라는 친구에게 묘한 존경심이 들었습니다. 과연 내가 없는 자리에서 누군가가 나를 저렇게 확실하게 변호해줄까? 내가 그만큼 잘 살았을까? 싶었거든요. 아마 C는 함께 알고 지낸 몇 년의 세월 동안 B뿐만 아니라 모두에게 좋은 사람으로 기억될 만큼 착하고 올바른 친구였나 봅니다.

그리고 B도 C만큼 멋져 보였어요. 만약 제가 B와 같은 질문을 받았다면 저는 "걔가 그랬을 수도 있겠다"라고 말하진 않겠지만 C가 안 좋은 일을 저질렀을 수도 있다는 가능성을 고려해봤을 거예요. 이런 경우 상대방에 대한 생각이 이미 부정적으로 흐르게 돼요. 하지만 B는 딱 잘라서 C를 변호해줬고, 뒤에서 누군가의 이야기를 하는 걸 원천 차단해버렸어요.

내가 좋은 사람이 되면 남에게만 이로운 것이 아니라, 내 향기를 맡고 다가온 사람들이 나를 지지해주고 지켜주기 때문에 스스로에게도 좋습니다. 언제든지 나를 위해 싸워줄 수 있는 든든한 아군을 얻는 셈이죠. 저도 C 같은 사람이 되어 B 같은 친구와 서로 지지해주는 관계를 만들어나가고 싶습니다.

친하다는 이유로

직장생활을 처음 시작했을 때 휴가 결재권자였던 팀장님은 휴가 신청을 할 때마다 인상을 쓰며 "작업 들어오는 거 봐서 한번 확인해보자"라고 하셨습니다.

작업 일정이 없는 걸 확인하고 나서는 그제야 "뭐 하려고?"부터 "누구랑 가는데?", "어디 가는데?"라는 질문까지 제 신상에 지대한 관심을 표명하셨고, 휴가를 가 있을 때도 무슨 일이 있으면 별다른 배려 없이 불쑥불쑥 전화하거나 카톡을 남기곤 하셨어요.

휴가를 쓰며 가장 이해하기 어려운 점 두 가지가 있습니다. 첫 번째는 한 달 전에 잡아놓은 휴가를 가기 하루 전까지 눈치를 주는 것이었습니다. 한 달 전에 휴가 일정을 결재받고 숙소까지 잡아놨지만, 요즘 바쁜 시기니 응당 사무실을 위해 휴가를 반납해야 하지 않겠느냐는 무언의 압박이 계속됐습니다. 그 탓에 휴가를 가서도 그 시간을 온전히 즐길 수 없었고, 사무실로 복귀한 뒤에는 '네가 없어서 굉장히 힘들었다'라는 원망의 눈빛들로 저는 한없이 움츠러들었습니다.

두 번째는 휴가를 쓰면 쓰는 거지 내가 누구랑 있고 어디로 놀러갈 것이며 뭘 할 건지 당연하다는 듯이 묻는 문화였습니다.

"뭐 할 건데?"
"집에서 좀 쉬려고 합니다."
"휴간데 아무것도 안 한다고? 휴가 왜 가냐?"

"뭐 할 건데?"
"강릉 좀 다녀오려 합니다."
"오, 여자친구랑? 일박으로? 벌써 진도가 거기까지 나갔어?"

연차가 쌓이고 시간이 흐르며 그렇게 간섭하는 문화가 조금씩 바뀌었다고 느꼈습니다. 지금껏 당연하게 여기며 참아왔던 관행들이 많이 사라졌다고 생각했어요.

하지만 갓 들어온 신입사원이 저에게 "휴가 좀 써도 되겠습니까?"라고 말하며 삐질삐질 땀을 흘리는 모습을 보고, 내가 연차가 쌓여서 그렇지 신입사원에게는 휴가를 쓴다는 상황 자체가 정말 눈치 보이는 일이겠다는 생각이 들었습니다. 제가 해줄 수 있는 최선의 배려는 그저 아무것도 묻지 않고 "푹 쉬다 와. 회사 생각하지 말고"라며 빙긋 웃어주는 것뿐이었어요.

옆에 있는 동료의 모든 걸 알고 싶어 하는 사람들이 있습니다. 그들은 그게 동료끼리의 유대감이라고 생각해요. 하지만 상대방이 원치 않는데 굳이 캐묻거나 원하는 대답을 듣지 못했다고 실망한 내색을 보인다면 그것조차 상대방에게는 큰 부담일 수 있습니다. 비단 회사생활에만 국한된 일이 아닙니다. 친하다는 이유로 상대방에게 사생활을 공유해달라고 강요할 권리는 없습니다. 상대방과의 거리를 존중하되 묵묵히 곁을 지켜준다면, 상대방도 여러분을 믿고 의지할 거예요.

관계의 시작은 나이가 아닙니다

영어를 배워서 좋은 점은 평등한 관계를 기반으로 대화를 시작할 수 있다는 겁니다.

물론 'sir'나 'ma'am' 같은 표현이 있지만 기본적으로 존댓말이 없기에 스스럼없이 상대방을 알아갈 수 있기도 해요.

영어학원에서 함께 수업을 듣는 한국인인 테일러는 아들이 저보다 나이가 많습니다. 만일 테일러를 영어학원이 아니라 사회에서 만났다면 저는 당연히 90도로 고개를 숙이고 어르신으로 모시며 예의를 차렸을 테고, 그런 만큼 아마도 그와 있는 자리가 굉장히 불편했을 겁니다.

그러나 처음 만났을 때부터 서로 영어 이름을 부르며 하이파이브를 하고 손을 흔들며 인사하다 보니 테일러가 너무 편해졌습니다. 그리고 테일러도 그런 저를 친근하게 대해줍니다.

영어로 최근 있었던 일이나 각자의 고민을 나누는 수업이 있습니다. 테일러는 아들의 결혼 문제, 노후 걱정을 제게 털어놓습니다. 처음부터 윗사람과 아랫사람으로 만났다면 상상도 못 했을 일이죠.

나이로 서열을 나누고 그 테두리 안에서 관계를 쌓아가는 게 자연스러웠던 시절이 있습니다. 초면에 나이를 묻고 형 노릇, 오빠 노릇, 동생 노릇을 했습니다. 하지만 그렇게 관계를 설정해버리면 저보다 연장자인 사람에게는 무언가 말하기가 쉽지 않았고, 또 저보다 어린 사람에게는 알게 모르게 조언을 하는 경우가 많았습니다. 어쩌면 지금까지 나이에 눈이 가려져 상대방의 진솔한 모습을 보지 못했을지도 모른다는 생각이 들었습니다.

영어를 배운 지 얼마 안 됐을 때 원어민에게 자연스레 "How old are you?"라고 질문했습니다. 그러자 원어민이 그 질문은 무례한 질문이라고, 대답하고 싶지 않다고 말했던 기억이 납니다. 그때는 그런 반응이 이해 가지 않았지만 영어학원에 다니면서 나이를 가리지 않고 사람들과 관계를 맺다 보니 우리 사회가 나이 때문에 얼마나 경직되어 있는지 깨달았습니다. 저 역시 지금까지 나이나 배경을 따지며 그 사람을 판단하고 평가해왔던 것 같습니다. 그런

관계에서는 100퍼센트 솔직한 내 모습을 드러내는 게 쉽지 않았어요. 하지만 사회적인 호칭이 없으니 어느새 스스럼없는 친구가 되어 있더군요.

서열이 정해진 관계보다는 평등함을 기초로 시작한 관계에서 고정관념을 깰 수 있는 인사이트를 받았던 적이 많습니다. 관계의 시작은 나이의 많고 적음이 아니라 그 사람이 어떤 인생을 살고 있는가입니다. 나이라는 장벽에 막혀 예의나 격식을 차리기에만 급급하다가 내 세계를 더 넓혀줄 수 있는 인연을 놓치지 않기를 바랍니다.

인정받고 싶다면
유념해야 할 법칙

저에 대해 안 좋은 얘기를 하고 다니는 사람이 있다는 사실을 친구를 통해 알게 된 적이 있습니다. 그 사람은 저를 두고 "현실을 직시할 줄 모르는 이상주의자"라느니, "세상 물정 모르는 철부지"라느니 하는 험담을 이리저리하고 다니는 것 같았습니다.

처음엔 굉장히 꺼림칙하고 기분이 좋지 않았습니다. 자주 만나지도 않았을뿐더러, 사적인 얘기는 한 번도 하지 않았던 사이였기 때문이죠.

그러던 어느 날 제가 주최하는 모임에서 그분을 마주쳤습니다. 제 신상을 밝히지 않고 이어가던 모임이었는데 우연히 그분이 찾아서 오신 거예요. 처음 모임 장소에 도착해서 저를 보더니 무척 당황하시더라고요. '설마 내가 뒤에서 얘기한 거 알고 있지는 않겠지?'라는 눈빛이었습니다.

저는 웃으며 일어나 그분에게 악수를 청했습니다. 그리고 모임이 진행되는 내내 그분의 이야기를 경청했습니다. 그분도 마찬가지로 저에게 깍듯하셨고, 화기애애한 분위기로 대화를 나누며 모임을 깔끔하게 마무리할 수 있었습니다.

"먼 길 오시느라 정말 고생 많으셨습니다. 덕분에 오늘 많이 배웠습니다. 정말 감사드립니다."

모임이 끝나고 만족한 표정을 지으며 집으로 가려는 그분에게 저는 고개 숙여 인사를 드렸습니다. 그러자 그분도 저에게 고개 숙여 인사를 해주셨습니다. 처음의 당황한 눈빛은 사라지고 편안한 표정만 보였습니다.

그 후 간간이 그분의 얘기를 친구에게 전해 듣습니다. 칭찬은 잘 모르겠지만 더는 제 얘기를 하고 다니지 않는다고 합니다. 아마도 그날의 만남이 타오르듯 뜨거운 더위를 시원하게 식혀주는 소나기와 같은 역할을 한 것 같습니다.

미국의 심리학자 윌리엄 제임스는 인간이 가장 갈망하는 욕구는 바로 인정의 욕구라고 말합니다. 존중하는 말은 인정받고자 하는 욕구를 충족시킵니다. 그러나 타인에게 인정받기 위해선 내가 먼저 타인을 인정해야 함을 잊지 말아야 합니다.

제가 만약 그날 그분에게 기분 나쁜 티를 팍팍 내며 감정적으로 행동했다면, 그 당시에는 속이 시원했을지 몰라도 훗날 저도 그와 같이 난처한 일을 당했을 겁니다. 하지만 감정을 추스르고 그분의 말을 경청하며 공대했기에 서로에게 편안한 만남으로 잘 마무리 지을 수 있었습니다.

마찬가지로, 식당에 가서 종업원에게 반말을 하거나 명령조로 하대하는 사람들보다는 "고생하십니다. 죄송하지만 메뉴 하나만 주문해도 될까요? 감사합니다"라고 말하는 사람들은 분명 그들 자신이 베푸는 친절만큼 누군가에게 인정받고 존중받을 겁니다. 1년을 준비해서 원하는 회사에 합격한 친구에게 "그 회사 요즘 어렵다던데"라거나 "운이 좋았나보네"라고 하는 사람보다는 "정말 축하한다. 내가 이렇게 기쁜데 넌 얼마나 기쁘겠어"라고 말하는 사람들이 분명 더 풍요롭고 충만한 삶을 살 겁니다.

상대방에게 고압적으로 명령하는 사람들은 반드시 누군가에게 명령을 받게 되듯 상대방을 인정하고 배려하는 사람들은 반드시 인정과 배려를 돌려받게 됩니다.

익숙할수록
긴장해야 하는 이유

버스 요금 단말기에 카드를 찍으려 할 때 단말기가 애매한 위치에 있어 '대충 이렇게 찍으면 찍히겠지'라는 마음으로 적당히 손을 뻗어 찍어본 경험 있으신가요?

저도 버스에서 이런 경험을 한 적이 있습니다. 출구 쪽이 번잡해 내려야 할 정류장에 도착하기 전에 손을 쭉 뻗어 감으로 찍으려 했는데 첫 번째 시도는 전혀 먹히지 않았습니다. 두 번째 시도에서는 대충 찍히긴 했는데 잘못된 위치에 카드를 가져다 댔는지 "다시 찍어주세요"라는 목소리가 나왔습니다. 세 번째 시도도 두 번째와 같았습니다. 결국 기계를 보고 카드를 정확한 위치에 갖다 대고 나서야 카드가 찍혔고 홀가분한 마음으로 버스에서 내렸습니다.

제 삶을 돌이켜보면 감에 의존하여 이미 해본 것들에 과도한 자신감을 보일 때가 많았습니다.

'이건 나 혼자 할 수 있어.'

'뭐 이 정도쯤이야. 이젠 다른 사람의 도움 같은 건 필요 없어.'

주변 사람들에 대한 감사함을 깡그리 잊어버린 채 남들을 단지 도구로만 생각했으며 혼자 다 잘해낼 수 있다는 자만에 가득 차서 독단적으로 굴었습니다. 그래서 주변 사람들을 섭섭하게 만들었어요. 인간관계에서는 과도한 자신감이 대개 독이 되더군요.

운이 좋다면 단말기를 보지 않고도 승하차 카드를 찍을 수 있겠지만 매번 감에 의존해 찍을 순 없는 것처럼, 인간관계 역시 작은 상처는 한두 번 넘어갈 수 있어도 매번 그렇게 한다면 결국 상대방은 우리 곁을 떠나게 돼요.

요금 단말기에 카드를 다시 찍을 수는 있지만 떠난 사람은 다시 잡을 수 없잖아요. 익숙하다는 이유로, 자신 있다는 이유로 소홀히 대하다 소중한 사람에게 상처를 준다면 그 사람을 잃은 후에야 그 사람의 빈 자리가 감당할 수 없을 만큼 크다는 걸 실감하게 될 거예요. 후회하기 전에 주변 사람들과 사소하다고 생각했던 모든 것들을 다시 돌아보고 소중함을 표현하는 하루가 되었으면 좋겠어요. 언뜻 생각하기엔 별것 아닌 듯 보이는 것들이 사실 우리 삶을 지탱하고 있으니까요.

당신과 함께라면
더 좋은 사람이 되고 싶어

직장에서 친하게 지냈던 후배가 청첩장을 준다고 해서 만났습니다. 제가 직장을 그만두고 안 본 지 2년이 넘었지만 종종 연락하며 안부를 주고받았죠. 그런데 2년 만에 본 후배의 얼굴이 크게 달라져 있었습니다. 예전엔 걱정과 근심이 늘 드리워져 있었는데, 지금은 안정감과 행복이 넘쳐흐르는 듯했어요.

잡채를 세 번 리필할 정도로 솜씨 좋은 한정식 가게에서 후배와 그동안 못다 한 이야기를 나눴습니다. 결혼 후 새로운 직장으로 이직하게 됐다, 조건도 좋고 무엇보다 자신이 하고 싶은 일이다, 예비 부인은 너무 좋은 사람이고 그녀 덕분에 이렇게 잘될 수 있었다, 후배가 그렇게 얘기하더군요.

신기했습니다. 심성은 착하고 따뜻했지만 표현이 서툴러 본심과 다르게 말하고 행동하는 탓에 인간관계에 어려움을 겪는 친구였거든요. 긍정적인 단어보다 부정적인 단어를 더 많이 사용하고 자존감보다는 자존심이 훨씬 더 강한 친구였습니다.

그러나 2년 만에 본 후배는 2년 전과 완전히 달라져 있었어요.

"너 진짜 많이 변했다"라고 말하니 그 친구는 웃으며 이렇게 얘기하더라고요.

"여자 잘 만나서 그렇죠. 제가 뭘 하든 곁에서 응원해주고 지지해주는 사람이 있으니까 자연스레 변하더라고요. 제가 이직 준비할 때도, 결혼을 생각하면 말리고 싶었을 텐데 여자친구는 '당신이 그게 맞다고 생각하면 나한테도 맞는 거니까 걱정하지 말고 준비하라'며 저를 안심시켜줬어요. 그런 사람을 실망시키고 싶지 않아서 더 열심히 살게 됐어요."

영화 〈이보다 더 좋을 순 없다〉의 주인공 멜빈은 로맨스 소설 작가지만 전혀 로맨틱하지 않습니다. 강박증 환자에 어디 가든 적을 만들고 다니는 삐뚤어진 성격의 소유자죠.

그런 그가 단골 식당 직원인 캐롤을 사랑하게 돼요. 우여곡절 끝에 멜빈은 근사한 레스토랑에서 캐롤과 데이트를 하게 되지만 멜빈의 무례한 행동에 화가 난 캐롤은 지금 자신을 칭찬해달라고, 그렇지 않으면 여길 떠날 거라고 말합니다. 그러자 멜빈은 우물쭈물하다 이내 자신의 진심을 내보입니다. 당신을 만난 후로 약을 다시 먹기 시작했다고요.

잔병치레를 하는 멜빈에게 담당 의사는 전부터 약을 권해왔어요. 하지만 멜빈은 약을 끔찍이도 싫어합니다. 건강에 도움이 된다고 하더라도 결코 약을 먹지 않았죠. 하지만 캐롤을 만나고 나서는 약을 다시 먹기 시작했다는 겁니다. 그러고 나서 이런 말을 덧붙입니다.

"당신은 내가 더 좋은 사람이 되고 싶게 만들어."

주변을 보면, 평생 변하지 않을 것 같은 사람들도 어떤 계기로 180도 변하는 모습을 보게 됩니다. 그리고 그 계기는 대부분 함께하는 사람이었어요. 부정적인 사람을 만났을 땐 그 사람도 부정적으로 변했고, 긍정적인 사람을 만났을 땐 그 사람도 긍정적으로 변하지 않나 싶습니다.

저도 함께 있으면 스스로를 더 좋은 사람이 되고 싶게 만드는 사람을 만나길 원합니다. 그리고 그 마음 이상으로 제가 누군가에게 긍정적인 자극을 주는 사람이고자 합니다.

우리는 때론 타인의 시선이라는
암묵적인 규정과 절차로
자신을 옭아매기도 해요.
그리고 나중에 후회하죠.
'그때 그걸 했어야 했는데…….'
'내 가슴이 시키는 대로 살아볼걸.'
우리의 인생은 헌법이 아닙니다.
지켜야 할 규정과 절차가 없어요.
그러니 내 뜻대로 살면 됩니다.

Chapter 4

그럴듯한
마침표보다는
행복한
쉼표를

행복하기보단
행복을 바랐던 날들

"작가님은 정말 행복하시겠어요. 직장도 있는데 책도 내시고, 이런 저런 활동을 마음껏 하시잖아요."

예전에 강연이 끝나고 한 분이 저에게 오셔서 이런 말씀을 하셨던 기억이 납니다. 그 자리에서는 그렇다고 대답했지만, 집에 돌아오는 길에 그분의 질문이 내내 머릿속에 맴돌았습니다.

'민창아, 넌 진짜 행복해?'

돌이켜보면 저는 그토록 염원하던 작가가 됐을 때도, 그 이후로 두 권의 책을 더 냈을 때도 기대했던 만큼 행복하지는 않았던 것 같습니다. 오히려 책을 쓰기 전 '어떤 내용으로 독자들의 가슴을 울릴 수 있을까?'라는 고민을 할 때가 가장 행복했던 것 같아요.

책을 낸 후 매일 쫓기듯 살았습니다.

한 권을 내니 한 권으로 끝내기엔 부족하다는 생각이 들었고, 진로 상담을 해야 하니 직업상담사 자격증을 취득해야겠다는 생각이 들었고, 학벌이 콤플렉스니까 대학원을 가야겠다는 생각이 들었습니다.

그러나 새로운 목표를 성취해도 마침표를 찍는 그 순간만 행복하고, 마침표가 아닌 쉼표가 찍혔을 때는 불안했습니다. '왜 행복하지 않을까?' 하는 질문을 곱씹은 끝에 마침내 결론을 내렸습니다. 나는 줄곧 오지도 않은 미래와 타인의 시선을 위해 살고 있었구나.

책을 더 많이 내면 행복할 것 같았고, 좋은 출판사와 계약해서 많이 팔면 행복할 것 같았고, 좋은 대학원을 나오고 공신력 있는 자격증을 따면 행복할 것 같았습니다. 그리고 이런 '마침표'를 보고 저를 동경과 존경의 눈빛으로 바라보는 사람들의 시선을 받으면 행복할 것 같았습니다.

그렇게 살아오다 보니 행복한 날들보다는 행복을 바랐던 날들만이 가득했습니다. 오지도 않을 미래를 걱정하며 행복을 염원하는 제 모습이 싫어서 현재에 집중하기로 결심하고 과감하게 손에 쥐고 있던 것들을 하나하나 놓기 시작했습니다.

처음에는 어색하고 불안했지만 정말 하고 싶은 것에 집중하니 여유가 생기고 표정이 밝아졌습니다. 마침표를 찍는 것만이 행복을 증명한다고 여기던 가치관이 바뀌자 쉼표를 찍어도 충분히 행복했습니다.

목표 중심이 아닌 과정 중심의 동기부여가 우리의 삶을 행복하고 윤택하게 만든다고 합니다. 무언가를 할 때 성취에 의미를 두는 것이 아니라 과정을 즐기다 보면 자연스레 행복해진다는 말입니다.

마침표를 찍지 않아도 괜찮습니다. 쉼표도, 따옴표도 괜찮습니다. 중요한 건 찍는 과정에서 행복을 느끼는 거겠죠.

내가 잘하는 것이
나를 행복하게 만들어주지 않는 이유

댄스동아리에서 활동했던 시절, 동아리에 성혁이라는 동생이 있었습니다. 성혁이는 누가 봐도 춤을 추기 위해 태어난 사람 같았어요. 같은 동작을 해도 느낌이 달랐고, 그 당시 자주 즐겨보던 유튜브 채널 '어반 댄스 캠프'에 나오는 세계적으로 유명한 댄서들과 비교해도 손색이 없을 정도로 춤을 잘 췄습니다.

케이팝 안무를 영상으로 배우는 것도 벅찼던 저는 처음 듣는 팝송에 맞춰 그 자리에서 어울리는 안무를 짜내는 성혁이를 보며 전율했던 기억이 납니다.

저는 성혁이가 평생 춤만 추고 살 줄 알았습니다. 그리고 머지않아 국내 최고의 댄서가 될 거라는 데 추호의 의심도 없었습니다.

그렇게 1년 정도 함께 활동했을 때였을까요, 성혁이가 돌연 춤을 추고 싶지 않다며 팀을 나갔습니다. 당황한 팀원들이 무슨 일이냐며 성혁이를 붙잡았습니다. 다들 그의 빛나는 재능을 너무나도 아까워 했거든요. 저도 그중 한 명이었기에 며칠 뒤 성혁이가 사는 동네로 찾아가 커피를 마시며 이야기를 나눴습니다.

"성혁아, 형은 네가 계속 춤췄으면 좋겠다. 이렇게 관두기엔 네 재능이 아깝잖아."

그러자 성혁이가 얘기했습니다.

"형, 저는 춤을 추면서 가장 즐거웠던 순간이 아무도 없는 곳에서 혼자 몸으로 감정을 표현할 때였어요. 그런데 사람들이 잘 춘다고 관심을 가져주니 조금씩 부담이 되기 시작했어요. 더구나 축제 때는 훨씬 많은 사람 앞에서 춰야 하니 '완벽해야 한다'는 강박이 생겼고, 그러다 보니 점점 춤을 추고 싶지 않아졌어요. 안무를 습득할 때도 즐거워서가 아니라 공연과 축제를 위해서 억지로 하고 있다는 생각이 들었어요. 저라는 사람이 껍데기밖에 안 남은 느낌이더라고요. 지금은 저 자신의 행복에 집중하고 있어요."

《미움받을 용기》를 통해 국내에서 다시 조명받은 아들러 심리학에서는 인생을 크게 두 가지로 나눕니다. 첫 번째는 키네시스적 인생이고, 두 번째는 에네르게이아적 인생입니다.

키네시스란 모든 사물이 저마다 존재 목적을 가지고 있고 그 목적을 향해서 운동한다는 아리스토텔레스의 '목적론적 운동'을 말합니다. 목적을 향해가는 이 운동에는 시점과 종점이 있습니다. 종점에 도달하기 전까지 그 상태는 미완으로 남아있게 되죠. 그러므로 종점까지의 여정은 가능한 효율적이고 빠르게 달성되는 것이 좋습니다.

《미움받을 용기》에서는 키네시스적 인생을 열차 타기에 비유합니다. "급행열차를 탈 수 있다면 일부러 역마다 정차하는 보통열차를 탈 필요가 없"습니다. 그러나 이 경우 "목적지에 도착할 때까지 그 여정은 불완전"합니다. 왜냐면 목적지에 도착하지 못했기 때문입니다.

반면 에네르게이아는 목적의 완성보다는 실현해가는 활동에 초점을 맞춘다고 말합니다. '과정 자체를 결과로 보는 운동'이기에 에네르게이아적 인생에서는 모든 순간이 그 자체로 완전한 가치를 지닌다는 겁니다.

성혁이가 춤을 처음 시작했을 때는 에네르게이아적 인생을 살았을 겁니다. 아무도 봐주지 않더라도, 나의 감정을 몸으로 표현하고 땀을 흘리는 순간을 즐기고 행복해했을 거예요.

하지만 동아리에 들어간 뒤 춤을 추는 목적이 공연을 잘 마치는 것과 사람들에게 좋은 평가를 받는 것으로 바뀌어버리면서 목표에 도달하지 못하면 불안해지는 키네시스적 인생을 살게 된 것 같았습니다.

내가 좋아하고 내 감정을 살리는 춤보다는 공연 일정에 맞출 수 있고 사람들의 반응도 뜨거운 케이팝을 배웠고 본인의 취향보다는 팀원들의 의견을 우선시했을 거예요. 그러면서 순수하게 춤을 즐기던 마음을 잃어가는 것 같아 더 늦기 전에 동아리를 그만둔 듯했습니다.

못내 아쉬워하며 자리를 일어나는 저에게 성혁이는 "형, 그래도 그냥 편하게 춤추고 싶으면 연락주세요"라고 얘기했어요. 그 표정이 참 편안해 보였습니다.

당시에는 이해가 잘 가지 않았지만 시간이 지나고 나니 성혁이의 마음이 이해가 갑니다. '지금, 여기'에서 행복하기 위한 큰 결정이었을 거예요.

한 친구에게 "넌 인생의 목표가 뭐야?"라는 질문을 한 적이 있습니다. 그러자 그 친구는 "행복해지는 거야"라고 답하더군요.

행복은 먼 미래에 있는, 지금은 잡을 수 없는 대상이라고 여기는 사람들이 꽤 많은 듯합니다. 이들은 행복을 먼 미래의 이상향으로 설정해놓고 '때가 되면 잡겠지.' 하며 언젠가 행복해지기를 기다립니다.

하지만 오늘 아침 일어났는데 공기가 왜 이렇게 맑은지, 비는 또 왜 이렇게 시원하게 내리는지, 편의점에서 산 헤이즐넛 향 아메리카노는 왜 이렇게 좋은지, 6000원짜리 백반은 또 왜 이렇게 맛있는지를 새삼 느끼며 즐기는 에네르게이아적 인생을 사는 사람들에게는 매 순간이 축복이고 행복인 것 같아요.

남들에게 보여주기 위해 그럴듯한 마침표를 찍는 목표지향적 삶이 아니라 내가 있는 이 자리에서 행복을 발견하고 즐길 수 있는 삶을 산다면 우리의 삶이 훨씬 더 풍요로워지지 않을까 싶습니다.

느리게 갈수록 보이는 것

9호선 신논현역 근처에서 친한 형과 식사 후 돌아가는 길에 있었던 일입니다.

7시가 좀 넘은 시각이었고, 신논현역으로 들어가자마자 어딘가 분주한 사람들의 움직임이 왠지 느낌상 급행열차가 곧 도착한다는 신호로 보였습니다. 저도 덩달아 발걸음이 빨라졌습니다. 그날따라 피곤한 저는 얼른 숙소에 돌아가 쉬고 싶었어요. 꼭 급행을 타야겠다는 마음이 들었습니다.

계단을 빨리 내려가려고 발을 내딛는데 열차가 방금 도착했는지 계단을 올라오는 인파가 엄청났습니다. 사람들 틈을 비집고 내려가서 열차 앞에 도착하는 순간 열차의 문이 닫혔어요.

그리고 닫힌 문 너머로 숨 쉴 공간조차 부족해 보일 만큼 따닥따닥 붙어있는 사람들이 보였습니다. 짧게는 5분, 길게는 15분 먼저 목적지에 도착하기 위해서요.

급행열차는 떠났고, 신논현역은 소강상태에 접어들었습니다.

2분 뒤에 일반열차가 왔습니다. 일반열차는 다행히 앉을 자리가 충분했습니다. 여유롭게 자리에 앉아 가방에서 박웅현 작가의 《여덟 단어》라는 책을 꺼냈습니다.

여섯 번 정도 완독한 책이라 왼손으로 표지를 잡고 오른손으로는 책을 넘기며 손끝에 걸리는 페이지를 폈습니다. 그 페이지에는 이런 말이 있었습니다.

"보는 것이 매우 중요하지만 그 이상으로 중요한 것은 너무 많은 것을 보려 하지 않는 겁니다. 요즘 같은 시대에는 특히 욕심을 부려서 볼 필요가 없습니다. 이미 우리의 삶은 미친개한테 쫓기듯 정신없이 돌아가고 있으니까요. 도망가느라, 뛰느라 주변을 돌아볼 여유가 전혀 없죠. 그런데 조금만 생각해보면 쫓길 이유가 전혀 없습니다. 그저 우리의 삶, 나의 삶을 살면 되니까요."

만약 제가 5분 더 일찍 가기 위해 그 많은 사람들 사이에 샌드위치처럼 끼여 열차를 탔다면 이 아름다운 문장을 만날 수 있었을까요? 일찍 가지는 못했지만 그 덕에 앉아갈 행운을 얻었고, 앉을 수 있었기에 우연히 펼친 책에서 아름다운 문장을 사유할 수 있었습니다.

저도 항상 바쁘게 살아왔습니다. 누군가보다 뒤처지지 않기 위해, 누군가에게 '열심히 산다'라는 말을 듣기 위해서요. 하지만, 그 바쁨의 이유 안에 '나'는 존재하지 않았습니다. 타인이 욕망하는 것들을 내가 욕망하는 것으로 받아들이고 살았습니다. 주말이면 강의를 듣기 위해 홍길동처럼 이 지역과 저 지역을 왔다갔다 하다가 일요일 마지막 버스를 타고 집으로 돌아왔습니다. 그런데 그렇게 쉼 없이 달리다 탈이 났습니다. 아프게 되니 하던 일들을 강제로 중단할 수밖에 없었습니다.

처음에는 불안하고 조바심이 났습니다. 하지만 하루가 지나고 이틀이 지나니 마음이 평온해졌습니다.

'내가 열심히 하지 않아도 큰일 나지 않는구나. 세상은 그럭저럭 잘 돌아가는구나.'

한 달간 주말 약속을 잡지 않았고, 나에게 처음으로 휴식을 줬습니다. 늦잠도 자보고, 아무것도 안 하고 누워서 뒹굴거려 보기도 하고, 집 근처 공원 벤치에 앉아 하염없이 하늘을 보기도 했습니다. 그러다 구름이 움직이는 순간을 만나기도 했습니다. 느리지만 천천히 조금씩 움직이는 구름.

한참을 바라봤습니다. 구름이 마치 우리의 인생과 같다는 생각도 들었습니다.

그렇게 조금씩 지나쳤던 사소한 것들을 돌아보았습니다. 척박한 아스팔트 위에 난 꽃에서 희망을 보았고, 멀리서 들리는 버스 지나가는 소리에서 선율을 느낄 수 있었습니다. 이렇게 깊이 들여다본 사소한 일상에서 행복을 느끼며 제 삶도 조금씩 변해간 것 같아요.

너무 많이 하려고 하지 말고, 내가 가진 것들을 천천히 소화하고 삼키기 위해 노력했으면 좋겠습니다. 내 속도로 꾸준히, 천천히 구름처럼 움직이며 살았으면 좋겠습니다. 이렇게 깊이 들여다본 순간들이 모여 인생이 찬란해지니까요.

우물이 얕으면 어때

어떤 일을 시작하면 끝까지 지속하지 못하고 매번 중도에 그만두고 다른 걸 시작하는 사람들이 있습니다. A라는 친구도 그런 사람 중 하나였습니다. A는 어렵게 들어간 좋은 직장을 1년 만에 그만두고 다른 일을 찾았습니다.

직장은 그나마 오래 다닌 편이었습니다. 갑자기 시작한 헬스, 춤, 드럼, 노래, 피아노, 그림 등 어느 것 하나 6개월 넘게 버틴 적이 없었습니다.

꾸준하고 진득하게 하나를 파는 게 미덕이라고 생각하는 대한민국 사회에서 그 친구는 '이단아'였습니다. 부모님과 친한 친구들조차 그 친구를 걱정했습니다. 직장이나 진득하게 다닐 것이지 하면서 하루하루가 다이나믹하고 어디로 튈지 모르는 친구를 우려의 시선으로 바라봤습니다. 도대체 뭐가 되려고 저렇게 주변 사람 속을 썩이냐고 말입니다.

몇 년 전 저도 그 친구가 걱정돼서 충고를 몇 마디 했어요. 너 그래도 취직은 해야 하지 않겠냐, 나중에는 기회도 없다는 식으로 말입니다. 정작 저도 사회 경험이 부족하면서 그저 사람들이 하는 말이 다 옳다는 양 그렇게 얘기했습니다.

그때 친구가 제게 했던 말이 아직도 잊히질 않습니다.

"난 꾸준하지 못한 게 꾸준해. 하고 싶으면 일단 시작하고, 나랑 안 맞다 싶으면 관두지. 하지만 그 과정에서 아무것도 안 남은 건 아니야. 독서 모임은 지금 2년째 계속하고 있고, 테니스도 4년째 치고 있는걸.

내 20대는 힘닿는 한 최대한 다양한 걸 해보고 내가 뭘 좋아하고 잘하는지 정확히 파악하며 보내고 싶어. 그래야 의미 있는 30대를 맞이할 수 있을 것 같아."

커리어 코치, 강연가, 뮤지션, 디자이너 등 다양한 분야에서 열정적으로 활동하는 에밀리 와프닉은《모든 것이 되는 법》이라는 책에서 이렇게 다방면에 폭넓게 관심을 가진 사람을 '멀티포텐셜라이트(많은 관심사와 창의적인 활동 분야를 폭넓게 아우르는 사람)'라고 부릅니다. 그녀는 우리가 가진 직업과 진로에 대한 스테레오타입을 타파하고 새로운 관점을 제시합니다. 한 우물만 파는 사람들이 존경받고, 여러 우물을 얕게 파는 사람들이 염려의 대상이 되는 시대는 지났다는 거죠.

A는 지금 자신의 다양한 경험을 토대로 사람들에게 어울리는 직업을 컨설팅해주는 일을 하고 있습니다. 그리고 그 일을 수행하는 과정에서 자신이 해왔던 다양한 경험들이 하나도 버릴 것 없을 정도로 너무나도 소중하다고 합니다.

무언가를 자주 시작하고 금방 그만두는 사람들은 주변 사람들에게 핀잔을 많이 듣습니다.

"너 또 그만뒀어?"

"이번엔 뭐 해보려고?"

"끈기 있게 하나만 잘 해봐 좀."

그렇다 보니 무언가에 도전하기 전에 남의 눈치를 보거나, 중간에 그만두면 다른 사람들에게 또 한 소리 듣겠다는 생각에 시작조차 주저하는 경우가 있어요.

그러나 금방 포기하더라도 아예 시작하지 않는 것보다 낫다고 생각해요. 63빌딩을 걸어서 올라가면 힘들겠다고 막연히 생각하는 것과 실제로 걸어가봤는데 20층 정도에서 포기하고 내가 할 만한 도전이 아니라고 직접 체감하는 건 다르니까요.

다방면의 직접적인 경험들이 분명 인생에 많은 점들을 찍어줄 겁니다. 그리고 언젠가 그 점들이 연결되어 여러분의 인생에 큰 도움이 될 거예요.

그러니 무언가를 시도하는 데 망설이지 않으셨으면 좋겠습니다. 중간에 쉽게 포기해도 괜찮아요. 많은 걸 하다 보면 분명 자신에게 맞는 색깔을 찾을 거고, 그러면 즐겁고 뜻깊은 인생을 만들어갈 수 있을 테니까요.

안 좋은 습관을 고치는 법

몇 년 전까지 제겐 수시로 손톱을 물어뜯는 버릇이 있었습니다.

그런 모습을 보이면 안 되는 어려운 자리에서는 초인적인 정신력으로 참았는데 그 밖의 자리에서는 무의식적으로 손톱을 물어뜯었어요. 그런 탓에 제 손톱은 남아나질 않았고, 매번 살갗이 벗겨져 쓰라리고 아팠습니다.

이 버릇을 고쳐보려고 노력하지 않았던 건 아닙니다. 약을 바른 후 장갑을 끼고 자보기도 하고, 손을 물어뜯으면 손을 세게 때려달라고 친구들에게 부탁하기도 했습니다. 그런데 이렇게 외부에 의존하는 방법은 지속적인 효과를 얻기가 어려웠어요.

버릇이라는 게 쌓이고 쌓여서 무의식중에 드러나는 행동이다 보니 신경 쓰지 않으면 다시 제자리로 돌아갔습니다. 처음에야 이번에는 확실히 고치겠다는 각오로 약을 바르고 장갑을 꼈지만 며칠 계속하니 손도 답답하고 간지러워 장갑을 벗어버리고 다시 물어뜯었습니다. 물어뜯는 순간은 아픈지도 모르고 신나게 물어뜯다가 잠깐의 욕구를 해소하고 나면 늘 뒤늦게 고통이 찾아왔습니다.

그러다 보니 사람들을 만나는 자리에서는 손톱이 보이지 않게 항상 손을 숨겼어요. 그 당시에 저를 본 사람들은 아마 저를 자신감 없고 위축된 사람으로 여겼을 듯합니다.

10년 넘게 이어온 이 안 좋은 버릇을 고칠 수 있었던 계기는 바로 어느 뉴스 기사였습니다. 손톱을 물어뜯던 남자가 패혈증으로 사망했다는 내용이었어요. 지속적으로 손톱을 물어뜯어서 손톱 주변의 피부 상처가 패혈증균에 노출됐고, 손가락을 절단했는데도 패혈증으로 인한 심장마비로 숨을 거뒀다는 이야기였습니다.

사진도 굉장히 적나라했기 때문에 나도 저렇게 될지도 모른다는 불안감이 처음으로 들었어요. 단순히 버릇을 고쳐야겠다고 생각하는 게 아니라 고쳐야만 하는 이유를 몸으로 느꼈던 거죠. 끔찍한 이미지와 손톱 물어뜯는 버릇을 연관시키니 어느샌가 손톱을 물어뜯지 않게 됐습니다.

동기부여 전문가 토니 로빈스는 우리가 가진 잘못된 습관들을 바꾸고 싶다면 기억과 연결된 감각을 뒤섞어놓으라고 얘기합니다. 저는 극단적으로 부정적인 감각을 뒤섞어놓았지만, 누군가는 나쁜 버릇을 해결했을 때 자신에게 다가올 찬란한 미래나 긍정적인 감정으로 그 버릇이나 습관을 없앨 수 있겠죠.

새롭게 변화하려면 늘 하던 생각과 행동을 깨야 합니다.

기존의 것을 형체도 알아볼 수 없을 정도로 뒤섞어놓고 새로운 패턴을 찾아내 그것이 새로운 습관이 될 때까지 계속 머릿속에서 조절해야 해요.

누구나 자신의 좋지 않은 버릇을 인지하고 있습니다만, 소수의 사람만이 그런 단점들을 변화시키고 장점으로 치환합니다.

자신이 가진 안 좋은 습관을 떠올려봅시다. 그리고 그 습관을 지속했을 때 자신에게 미칠 악영향을 연상해보고, 그 습관을 없앴을 때 올 수 있는 행복한 미래를 떠올려봅시다. 주기적으로 연상하고 행동한다면 어느 순간 골치 아픈 습관을 해결하고 밝게 웃는 자신의 모습을 보게 될 거예요.

지금 느끼는 불편함은 성장의 신호

제가 영어공부를 시작한 계기는 거창하지 않습니다. 78억 명 가까이 되는 전 세계 사람들, 세상 곳곳에 있는 명소들, 그리고 나라마다 고유한 가치관과 생활 양식들이 있는데 30년 동안 지구 면적의 1퍼센트도 차지하지 않고, 인구가 1퍼센트도 안 되는 나라에만 있는다는 게 못내 아쉬웠습니다. 그래서 더 많은 나라의 사람들과 소통하기 위해 외국어를 차근차근 배워 제가 가진 고정관념을 깨고 그릇을 넓히고 싶었어요.

그런 마음으로 덜컥 회화학원을 등록한 지 사흘 차에 있었던 일입니다.

오랜만에 공부하려니 적응하기가 어렵더군요. 갑작스레 많은 인풋이 이뤄졌지만 들어온 것에 비해 아웃풋은 보잘것없고 발음은 또 왜 이렇게 어렵던지요. 힘든 게 한두 가지가 아니었어요. 그중에 가장 절 위축되게 만든 건 발음도, 암기해야 하는 무수한 단어도, 억양의 높낮이도 아니었습니다. 학원의 규칙, 영어로'만' 대화하기였어요.

'이름이 뭐예요', '나이가 어떻게 되세요', '취미가 뭐예요'와 같은 기초적인 문장을 사용하고 나면 할 말이 없어질 걸 아니 지레 겁먹고 말도 걸지 않았습니다.

그렇게 계속 조용히 있으니 코치님이 슬며시 다가와서 영어로 말을 거셨습니다. 당황해서 얼굴이 빨개지고 어물거리는 절 보더니 싱긋 웃으며 이렇게 말씀하시더라고요.

"많이 힘드시죠? 당연합니다. 잘하는 사람은 학원에 오지 않고, 그 사람들도 처음부터 잘하진 않았을 거예요. 저도 불과 5년 전만 해도 민창 씨와 똑같았어요. 그런데 지금 느끼시는 그 답답함과 불편함이 성장하고 있다는 신호입니다.

지금 떠오르는 단어, 문장들을 기록하고 공부하세요. 어느 순간 자연스레 영어로 말하는 자신을 발견할 거예요. 한국인들이 영어를 쓸 때는 항상 완벽한 문장을 구사하려고 해요. 그러지 않으면 무식해 보인다고 생각하거든요. 그래서 아예 입도 떼지 않으니 영어 실력이 제자리인 겁니다. 비록 불완전하더라도 의미라도 전달하자는 마인드로 임해보세요."

돌이켜보면 자전거를 못 타던 시절이 있었습니다. 무게중심을 잡지 못해 이리저리 넘어져 온몸이 성한 데가 없었습니다. 그래도 계속 자전거 안장에 몸을 앉히고 최대한 무게중심을 잡으려 노력했습니다. 그렇게 하다 보니 보조 바퀴 없이, 아버지의 도움 없이도 넘어지지 않고 자전거를 타게 됐습니다.

"한 번도 실패하지 않은 사람은 아무것도 하지 않은 사람이다"라는 말이 있습니다. 인생도 이와 마찬가지 아닐까요? 처음부터 능숙할 순 없습니다. 무엇을 시도하든지 당황하고 넘어지고 부딪히고 때로는 쪽팔리는 경험도 하듯, 쓰라린 실패의 경험을 맛볼 수밖에 없습니다.

하지만 넘어지는 게 무서워서, 남들에게 부족한 사람으로 보이는 게 두려워서 아무것도 하지 않는다면 실패는 하지 않겠지만 발전도 할 수 없을 거예요.

많이 넘어지고 나서야 우리가 자전거를 무리 없이 타는 것처럼, 지금 우리에게 닥친 시련이 결국 우리를 더 강하게 만들어주지 않을까요?

그렇게 생각한다면 지금 이 불편함은 우리를 좌절하게 만들 재

앙이 아니라, 우리가 스스로 발전할 수 있도록 누군가 내려준 축복이 아닐까 싶습니다.

나를 바꾸는 작은 노력들

지금은 사람들이 많이 모인 자리에서 이야기하는 일이 익숙하지만 사실 전 무대공포증이 있었습니다.

고등학교 때 총학생회에 문화부장으로 출마한 때가 지금도 기억나요. 일곱 명의 학생들이 회장과 부회장, 그리고 각종 부장으로 한 팀을 이뤄서 출마하는 시스템이었습니다.

선거활동을 하면서 가장 두려웠던 시간이 바로 총학생회 후보들과 학생들의 만남이라는 시간이었습니다. 학생들이 강당에 모여서 무대에 앉아있는 후보들에게 질문을 던지는 자리였어요.

"여자친구 있으십니까?", "무슨 치킨 좋아하세요?"라는 사소한 질문부터 말 그대로 당선됐을 때 학교를 어떻게 발전시키고 싶은지, 무슨 포부를 갖고 총학생회에 임할 것인지 같은 질문들이 오가는 거죠.

그때 저는 무대 맨 왼쪽에서 고개를 푹 숙이고 최대한 학생들의 눈에 띄지 않게 행동했습니다. 지금 생각하면, 덩치는 커다란 놈이 제일 끝에서 고개를 푹 숙이고 있는 모습이야말로 굉장히 튀지 않았을까 싶어요. 보는 사람은 없던 질문도 하고 싶지 않았을까요?

다행히 약속된 한 시간이 거의 다 지나갔고, 회장, 부회장, 봉사부장에게만 질문이 쏟아졌습니다. 잘 넘겼다고 생각하고 안도하려는 찰나, 한 친구가 손을 들고 저한테 이렇게 질문하더라고요.

"권민창 학생은 왜 문화부장이 되고 싶습니까?"

그 질문을 지금의 저한테 한다면 신나서 대답했겠죠. "학교생활의 꽃이 문화 아닙니까!" 뭐 이런 식으로 시작하면서요.

그러나 당시에는 아무 말도 못 하겠더라고요. 얼굴은 홍당무처럼 빨개지고 온몸을 사시나무 떨듯 떨면서 끝내 그 질문에 대답하지 못했습니다. 안타깝게 지켜보던 부회장 후보가 마이크를 받아 답변을 대신 해줬습니다.

그날의 작은 사건이 굉장히 큰 트라우마가 됐습니다. 그래서 이후 10년 가까이 남들 앞에 나서지 않고 뒤에서 조용히 존재감을 숨

겨왔어요.

'나는 할 수 없어.'

'애초에 사람들 앞에 서는 건 주제넘은 행동이야.'

그러다 스물여섯 살에 책을 제대로 접했습니다. 누군가의 삶을 간접경험하면서 내 생각이 확장되니 정말 신선하더라고요. 그래서 책을 통해 제가 가진 트라우마를 극복하고 싶었습니다.

저는 책을 읽고 1분 동안 그 책을 요약하는 방법을 고안해냈어요. 셀카봉 삼각대를 사서 휴대전화를 끼우고 벽 앞에서 정자세로 인사하고 책을 요약했습니다.

"안녕하세요. 책 요약해주는 남자 권민창입니다. 오늘 제가 소개해드릴 책은 ……인데요."

영상을 편집할 줄도 몰라 1분 동안 엔지를 내지 않고 쭉 말하는 식이었는데 완벽한 1분을 위해 두 시간 정도를 쉬지 않고 촬영했어요. 겨울인데도 긴장해서 온몸이 땀으로 젖었고 정신도 없었지만 완성본을 보니 만족스럽더라고요. '그래도 내가 하긴 했구나'라는 뿌듯함이 온몸을 감쌌습니다.

영상을 주기적으로 찍으면서 촬영 시간이 점점 줄어들었고 제 말과 손짓, 눈빛에도 여유가 생겼습니다. 대본에 없는 애드리브를 치기도 하고 넉살 좋은 웃음을 짓기도 했습니다. 그때의 연습이 나중에 사람들 앞에서 아무렇지 않게 이야기를 할 수 있게 만들어주었어요. 그렇게 트라우마를 자연스레 극복할 수 있었습니다.

누구나 트라우마가 있습니다. 하지만 그 트라우마를 극복하려 하기보다는 회피하거나 두려워서 숨는 사람들이 많은 것 같아요. 그리고 트라우마를 극복하기 위해선 정말 복잡하고 어려운 과정을 거쳐야 한다고 생각하죠. 그런데 전 생각이 좀 다릅니다.

《허클베리 핀의 모험》을 쓴 소설가 마크 트웨인은 이런 말을 했습니다.

"앞서가는 방법의 비밀은 시작하는 것이다. 시작하는 방법의 비밀은 복잡하고 과중한 작업을 할 수 있는 작은 업무로 나누어 그 첫 번째 업무부터 시작하는 것이다."

할 수 있는 가장 작은 것부터 차근차근. 팔굽혀펴기 100개를 하고 싶다면 무릎을 땅에 대고 팔을 굽히는 연습부터. 테니스 전문가가 되고 싶다면 공을 치기 전에 스윙 자세를 잡는 연습부터.

그렇게 차근차근 하루하루를 쌓아간다면 어느 순간 '어? 내가 이렇게 팔굽혀펴기를 잘했나?', '어? 내가 이렇게 스트로크가 좋았나?' 하며 놀라는 순간이 올 겁니다. 그리고 스스로가 대견할 거예요.

나를 바꾸는 변화는 아주 작은 것에서부터 시작합니다. 여러분도 그 작은 변화의 기적을 경험하길 바랍니다.

과소비와 투자의 차이

몇 달 차이 안 나는 직장 선배가 수입차를 끌고 출근한 적이 있었습니다. 제가 다닌 직장은 누가 차를 바꾸면 하루 만에 직장 내 모든 사람에게 소식이 퍼질 만큼 서로가 어떻게 사는지 잘 알고 있는 곳이었습니다. 모든 관심이 그 선배에게 집중됐습니다.

"야, A 수입차 샀어."

"수입차를? 유지비 장난 아닐 텐데."

"너무 개념 없는 거 아냐? 돈은 어떻게 모으려고 젊은 나이에 수입차를 사?"

사람들은 뒤에서 그 선배의 안일함과 어리석음을 흉보면서 자신들은 알뜰하게 돈을 관리한다는 자부심을 은근히 뽐냈습니다. 저도 그때는 후자처럼 사는 삶이 무조건 옳은 줄 알았습니다. 그래서 선배에게 "선배, 그래서 돈은 어떻게 모으려고 그래요?"라고 주제넘은 걱정을 했어요. 그러자 그 선배는 제게 이렇게 얘기했습니다.

"나는 5년 전부터 이 차가 그렇게 사고 싶었어. 그래서 직장생활 하면서 남들 돈 쓸 때 안 쓰고 모아서 산 거야. 그거 알아? 이거 보면 좋아 보이지? 근데 타면 더 좋아. 매일매일 보기만 해도 행복해. 안 타본 사람은 모를 거야."

과소비와 투자의 차이점은 딱 하나입니다. 본인의 심리적 만족감입니다. 남들이 과소비라고 비웃고 손가락질하더라도 본인이 만족감을 느낀다면 그건 투자입니다.

내가 간절히 바라는 무언가에 투자하려고 할 때 나를 생각해주는 척하며 훈수를 두는 사람들이 있습니다.

"그거 너무 무리하는 거 아니야?"

"다 너를 생각해서 하는 말이야."

설령 아무리 가까운 사이더라도 이 말은 정말로 나를 걱정해서 하는 말이라기보다는 시기나 질투의 표현일 수도 있습니다. 나는 감히 하지 못하는 것을 상대방이 하려 하니 괜히 부러운데 부럽다고 티를 내기에는 자존심이 상하니 상대방을 걱정하는 척하며 재를 뿌리는 거죠.

하지만 투자를 하든 안 하든 그 사람들이 우리에게 실질적으로 도움을 주는 것은 전혀 없습니다. 듣고 싶은 수업이 있을 때 교육비를 지원해주지도 않고 사고 싶은 물건이 있을 때 보태서 쓰라고 손에 돈을 쥐여주지도 않죠. 그렇다면 굳이 그 사람들의 말을 진실인 양 신봉할 필요가 있을까요?

투자인지 과소비인지는 타인이 결정하는 게 아니라 본인이 결정하는 것입니다. 5년의 기다림 끝에 자신의 로망에 투자하고 더할 나위 없이 큰 만족감을 얻은 그 선배처럼 말이죠.

그거 해서 뭐하게?

A라는 친구가 있습니다. 고등학교 동창인 A는 저와 같은 회사에서 근무했는데, 야근을 밥 먹듯이 하는 직무를 맡는 바람에 직장생활 외에 무언가를 할 시간이 전혀 없어 보였습니다.

그러나 A는 주말에 시간을 내 집 근처 피아노학원에 다녔습니다. 몇 달 하다 그만둘 것 같았지만 뜻밖에도 A는 집 근처로는 부족했는지 서울로 학원을 옮겼습니다. 그렇게 몇 년을 직장을 다니면서 피아노를 치던 A는 직장을 그만두고 지금은 미국에서 대학교에 다니며 피아니스트의 꿈을 키우고 있습니다.

B라는 친구는 맥주를 참 좋아했습니다. 직장인이던 B는 이왕

마시는 맥주를 조금 알고 마셔야겠다고 생각해 맥주의 종류와 맛에 대해 블로그에 조금씩 끄적거리기 시작했습니다.

처음엔 다들 유난 떤다고 했지만 B는 꾸준히 몇 년을 공부하더니 다니던 직장을 그만두고 맥주회사에 취업해 원하는 맥주를 맘껏 시음하며 행복하게 살고 있습니다.

A가 처음 피아노를 치기 시작했을 때, B가 맥주 공부를 시작했을 때 자신이 이 길로 갈 거라는 생각은 꿈에도 하지 못했을 겁니다. 그저 건반을 눌렀을 때 나는 아름다운 소리에 매료되어 서서히 좋아하게 됐을 거고, 고단한 직장생활의 스트레스를 풀어주는 맥주를 좀 더 맛있게 먹고 싶을 뿐이었겠죠.

저도 전공과 전혀 관련 없는 활동을 많이 했습니다. 그리고 그것들이 제 인생에 도움이 될 거라고는 전혀 생각지도 못했죠. 그런데 지금 돌아보면 제 삶과 관련 없어 보이던 것들이 지금의 저를 만든 것 같습니다.

반면 좋아서 시작한 게 아니라 뭔가를 얻기 위해 시작한 것들은 대개 오래가지 못했고, 목적을 달성한 순간 금세 머리에서 휘발되었습니다. 좋아하지 않으니까 타인의 평가나 시선을 의식하거나 누군가와 나를 끊임없이 비교하며 스트레스를 받았습니다.

저는 세상에서 제일 행복한 사람은 자신이 무엇을 좋아하는지 아는 사람이라고 생각합니다. 1을 투자했을 때 2가 돌아올 거라는 생각으로 임하는 것이 아니라 그것을 하는 순간 자체를 즐기고 행복해하는 사람들 말입니다. 보상을 기대하고 어떤 일을 하는 사람들은 원하는 결과를 얻지 못했을 때 자책하거나 그 일을 계속할 흥미를 잃습니다. 보상이란 외부에 존재하는 동기이기 때문입니다. 그러나 그 일 자체를 즐기는 사람들은 동기가 내면에 있기 때문에 설령 주변에서 좋은 평가를 받지 못하더라도, 거창한 결과를 얻지 못하더라도 계속할 동력을 잃지 않습니다. 그리고 그렇게 경험한 것들은 지금 당장 내 인생과 관련 없어 보일 수 있어도 시간이 지나면 인생에 긍정적인 영향을 끼칩니다.

주변의 소리나 평판에 신경 쓰지 말고 여러분 마음의 소리를 따르면 좋겠어요.

누군가와 비교하지 말고 지금 하고 있는 것 자체를 사랑하고 즐기길 바랍니다.

상대방의 말에
너무 휘둘리지 마세요

몸에 맞지 않는 작은 옷이 있습니다. 급하게 살 게 있어 집 앞 편의점에 잠깐 나가야 하는데 마땅한 옷이 없어요. 그럼 잠시 입고 나가겠죠. 5분도 안 되는 시간, 집 근처는 괜찮겠지요.

그런데 사랑하는 사람과 데이트를 하거나 마음을 터놓고 얘기할 수 있는 친구와 놀러 나간다고 해봅시다. 어떻게든 다른 옷을 찾아 입고 나갈 것입니다.

작은 옷은 임시방편일 뿐입니다. 일시적인 대안이지 결코 오래 입을 수 없어요.

"요즘 너답지 않은 것 같아."

최근에 친한 친구에게 이런 말을 들었습니다. 예전 같았으면 "어떤 부분이 그런데? 고쳐야겠다"라고 했겠지만 그날은 제가 반문했어요.

"나다운 게 뭔데?"

그러자 그 친구가 당황하며 말끝을 흐렸습니다.

"아니, 그냥…… 요즘 좀 가벼워 보여서. 원래 안 그랬잖아. 보는 사람들이 얼마나 혼란스럽겠냐."

저는 웃으며 얘기했습니다.

"가벼운 모습도 나고, 진지한 모습도 나고, 때로 바보 같고 답답한 모습도 나야. 사람들에게 잘 보이기 위해 나를 지울 필요가 없을 것 같아. 요즘은 그래."

'이건 너답지 않아'라는 말은 달리 말하면 '넌 이렇게 보여야 해'라는 의미 아닐까 싶어요. 집 앞 편의점에 잠깐 다녀오는 것처럼 가벼운 관계라면 괜찮을 수 있겠지만 매 순간 나를 숨기고 빈틈없이 보이기 위해 작은 옷을 입고 있다면 결국엔 옷이 찢어지거나 불편해서 옷을 갈아입거나 둘 중 하나겠죠.

누군가 "너답지 않아"라고 했을 때 자신을 한번 돌아보는 태도는 좋아요. 최소한의 기본을 하지 못하고 게을러졌다면 그건 분명 생각해볼 필요가 있습니다.

하지만 그저 예전과 조금 다른 모습을 보였다고 너답지 않다는 말을 하는 사람에겐 굳이 신경 쓸 필요가 없는 것 같아요.

상대방의 말에 너무 휘둘리지 마세요.
수많은 관계 속에서 나를 지키는 힘은 스스로에게서 나옵니다.

우연이 찾아준 행복

몇 달 전, 친구와 강남역 근처에서 저녁 약속이 있었습니다. 몇 주 전부터 잡힌 약속이라 스케줄을 미리 비워놓고 영어학원 수업이 끝나자마자 서둘러 움직였습니다. 그런데 친구가 조금 늦을 것 같다고 연락을 했습니다.

짜증스러우면서도 갓 입사해 아직 한창 눈치를 볼 시기인 친구의 마음이 이해됐습니다. 그리고 주머니에 넣었던 에어팟을 다시 꺼내 귀에 꽂고 노래를 틀었습니다. 그때 누군가가 추천해서 플레이리스트에 저장만 해놓고 한 번도 듣지 않았던 라우브의 '파리 인 더 레인'이라는 노래가 흘러나왔습니다. 음악만 들었을 뿐인데 짜증은 어느새 눈 녹듯이 사라지고 비트에 맞춰 고개를 끄덕이며 노래를 흥얼거리고 있었습니다.

노래가 끝나갈 무렵 친구에게 연락이 왔습니다.

'최대한 빨리 끝내려 해봤는데 안 될 것 같아. 진짜 미안하다. 다음에 내가 맛있는 거 사줄게.'

이상하게 전혀 짜증이 나지 않았습니다. 감미로운 노래를 들으며 근처 교보문고로 발걸음을 옮겼습니다. 예상치 못하게 주어진 여유로운 시간 덕분에 많은 책을 구경하면서 좋은 문장과 반짝이는 생각들을 수집했습니다. 그리고 그날은 집에 일찍 들어가 푹 쉴 수 있었어요.

집에 가는 길에 친구에게 전화가 왔습니다. 진짜 미안했다고, 시간 맞추고 싶었는데 도저히 어떻게 할 수 없는 상황이었다고요.

저는 웃으며, 덕분에 책도 읽고 집에 빨리 가 쉴 수 있으니 괜찮다고, 그런데 배는 고프니까 다음에 맛있는 것을 사달라고 말했습니다. 진짜 괜찮으니까 너무 미안해하지 말라고, 대신 나도 다음에 늦으면 양해해달라고 얘기하니 친구도 고맙다면서 웃더군요.

제가 짜증이 났던 이유는 갑자기 뜬 시간을 어떻게 해야 할지 몰랐기 때문이었던 듯합니다. 하지만 친구의 갑작스러운 야근은 제가 통제할 수 없는 일이고, 화를 내봤자 서로 마음만 불편해지지 변하는 건 없습니다. 그 사실을 인정하고 난 후, 우연히 흘러나온 노래가 저의 시간을 달콤하게 적셔주었고 우연히 시간을 보내러 간 교보문고에서 멋진 문장을 수집하는 행운을 얻었습니다.

이미 내가 어쩔 수 없는 상황이 벌어졌다면, 상대방에게 화내고 짜증 내면서 에너지를 쓰기보다는 그 상황을 기회로 바꾸는 융통성을 발휘해보는 건 어떨까요? 그 순간 저에게 우연히 찾아온 감미로운 노래처럼, 우연히 집어든 책에서 발견한 마음을 건드린 글귀처럼 여러분도 뜻밖의 기쁨을 찾을 수 있을 거예요.

퇴사를 고민하고 있다면

"야, 회사생활 잘하는 놈이 나가서도 잘 살아."

직장을 다니며 하루에도 몇 번씩 퇴사를 고민하던 시절, 친한 직장 선배들에게 고민을 얘기하면 열에 일곱은 이렇게 얘기했습니다. 그 말은 곧, 조직생활에 순응을 잘하는 사람이 잘 산다는 뜻이었습니다.

당시에는 선배들의 조언이 진실인 줄 알았습니다. 제 적성에 맞지도 않는 일을 꾸역꾸역 지속하고, 불합리한 것이 있더라도 참고 선배들의 말을 잘 들으며, 원치 않는 회식에 억지로 가는 그런 일들 말이죠.

그런데 생각이 바뀌게 된 계기가 있었습니다. 책을 읽으며 사람들 앞에서 제 얘기를 하고, 제가 느낀 것들을 글로 쓰기 시작하면서였어요. '내가 이 일을 할 때 정말 행복하구나, 직장에서의 한 시간은 하루처럼 느껴지는데 강연을 준비하고 프레젠테이션을 만들고 글을 쓰는 한 시간은 1분처럼 느껴지는구나'라고 생각할 정도였습니다.

그때 깨달았어요.

'자신이 좋아하는 게 뭔지 안다면 사람들이 말하는 회사생활을 잘하지 못하더라도 나가서 잘 살 수 있겠다.'

이전에는 회사일 외에 뚜렷하게 뭘 해야 할지 자신이 없고, 퇴사하면 어떻게 먹고살지 두려움이 너무 컸던 데다 스스로에게 확신이 없었기에 선배들이 하는 말을 믿었습니다.

하지만 제가 어떤 일을 좋아하는지 알게 된 이후로는 생각이 바뀌었습니다.

'회사를 다니며 자기 시간을 효율적으로 사용하는 사람이 회사 밖에서도 잘 산다.'

만약 회사에서 다루는 분야가 적성에 맞는다면 회사 내에서 이룰 수 있는 것들을 찾아보면 됩니다. 분야나 조직생활이 적성에 맞지 않는다면 더 나은 삶을 찾기 위해 출근 전과 퇴근 후의 시간을 효율적으로 사용하면 됩니다.

9년 2개월간 직장생활을 하면서 퇴사를 선택한 숱한 선후배들을 봤습니다. 퇴사하고 삶의 질이 높아진 사람들은 대부분 시간을 효율적으로 사용한 사람이었어요. 기존의 업무가 적성에 맞았던 사람들은 실력을 키워 연봉과 복지가 더 좋은 곳으로 이직했고, 맞지 않았던 사람들 중에는 우연히 배우게 된 사진과 동영상 편집에 매료돼 2년간 주말마다 관련 기술을 습득해서 퇴사 후 자신의 스튜디오를 차린 이도 있었습니다.

우연히 읽은 책에 이런 구절이 있었습니다.

"인생의 30퍼센트는 자신을 찾는 데 사용하고, 나머지 70퍼센트는 그 일에 전력투구하는 데 사용하라."

힘들더라도 지금보다 더 나아지고 싶다면 자신이 뭘 좋아하고 잘하는지 찾는 데 많은 시간을 투자하시기 바랍니다. 회사에 무조건 충성하는 게 능사는 아니에요.

다양한 모임에 참여해보고, 다양한 사람들을 만나고, 다양한 공부를 해보길 바랍니다. 그렇게 인생이라는 도화지에 경험을 점처럼 계속 찍다 보면 내가 가야 할 이정표가 그림으로 나타날 거예요.

내 행복은
나만이 결정할 수 있다

한 친구를 만났습니다. 이 친구가 제 얼굴을 보자마자 이렇게 얘기하더군요.

"야, 너 진짜 행복해 보인다. 얼굴 너무 좋아졌어."

그래서 저도 그 친구에게 이렇게 말했습니다.

"그동안 억지로 짊어지고 있던 짐들을 내려놨어. 짊어지고 있을 땐 이거 내려놓으면 큰일 날 줄 알았는데 막상 내려놓으니 너무 홀가분하다. 요즘은 그냥 진짜 권민창답게 살고 있어."

영어회화를 공부한 지 한 달 정도 지났을 때 느낀 변화가 있습니다. 실력은 여전히 기초 수준을 벗어나지 못했지만 가장 드라마

틱하게 변한 부분은 바로 자신감이었어요. 처음 배우기 시작했을 땐 완벽한 문장을 만들어야 한다는 강박관념 때문에 아예 말을 하지 않았는데 그러다 보니 영어를 두려워하는 마음이 사라지지 않았어요.

그러나 우리말에 대입해보면 외국인이 "언제 밥 먹을 거야?"라는 완전한 문장을 구사하든 "밥 언제?"라는 불완전한 문장을 구사하든 다 알아들을 수 있다는 생각이 들었습니다. 그래서 소통하려면 완벽하지 않더라도 일단 말해야 한다는 걸 깨달았습니다.

'사람들이 비웃으면 어쩌지?'

'발음도 안 좋고 문장구조도 이상한데 바보 같이 보이지는 않을까?'

그런 두려움을 이겨내고 단어 위주로 천천히 대화를 이어갔고, 막상 해보니 별것 아니라는 생각이 들었습니다. 춤을 추며 팝송을 따라부르고 발음 연습도 열심히 하면서 하루하루 나아지고 있습니다.

요즘 제가 행복한 이유는 바로 '동기부여' 때문입니다. 매일매일이 나아지고 있음을 몸소 느끼고 있고, 또 앞으로의 제 인생이 너무나도 기대돼요. 주변 시선과 평가에 지나치게 신경 쓰고 살아왔던 저는 제가 제 의지로 내린 결정을 몸소 체험한다는 게 이렇게 기쁜 일일 줄 몰랐습니다.

정재승 작가의 《열두 발자국》에는 "행복은 예측할 수 없을 때 더 크게 다가오고, 불행은 예측할 수 없을 때 감당할 만하다"라는 말이 나옵니다. '이미 미래를 예측할 수 있다면 기대감이 사라진 상황에선 어떤 것도 행복하지 않으며, 행복은 보상의 크기에 비례하지 않고 기대와의 차이에서 비롯된다'고 말입니다.

반면 불행은 미리 알수록 그 크기가 엄청나다고 합니다. '불행이 닥친다는 사실을 몰랐을 때에는 결국 견디고 감내하지만, 예고된 불행은 더 큰 불행의 시작이 된다'는 겁니다.

그렇기에 앞날을 예측할 수 없다는 이 불안정함이 저에겐 되레 기쁨이고 설렘입니다. 무언가를 배운다는 것, 그리고 하루하루 내가 나아지는 걸 몸소 느낀다는 것, 그로 인해 항상 행복으로 충만한 삶을 살 수 있다는 것.

행복은 거창한 게 아닙니다. 그리고 상대적인 것도 아닙니다.

내 행복은 오로지 나만이 결정할 수 있습니다.

세 가지 '자기'의 모습

Q. 가장 친한 친구에게도 털어놓지 못하는 고민이 있습니다. 남들에게 말하자니 너무 부끄럽고 겁이 나요. 왜냐면 '그런 고민을 하는 저'는 남들이 보는 모습과 전혀 다르거든요. 아무한테도 말을 못 하니 고민이 곪아서 더더욱 스트레스를 받아요. 이럴 땐 어떻게 해야 할까요?

A. 아무에게도 말하지는 못하고 또 혼자 끌어안자니 답답한 상황이군요. 정말 고민이 많으시겠습니다. 저도 비슷한 경험이 있어서 공감이 갑니다. 내가 느끼는 나와 사람들이 보는 나 사이의 간극이 너무 커 나의 약한 부분을 털어놓으면 상대가 실망하고 비웃을까

봐 속으로만 끙끙 앓았습니다.

그때 저는 비밀 블로그를 개설해서 속마음을 적어나갔습니다. 남들에게 보여주기 위한 글이 아니라 오로지 저만 읽는 글이었기 때문에 미사여구나 맞춤법, 문장구조도 전혀 신경 쓰지 않았어요. 그러면서 갈등을 어떻게 극복해나갈지 생각했습니다.

경험해보니 막상 비밀 블로그라는, 감정을 토해낼 수 있는 '대나무 숲'이 있다는 것만으로도 굉장한 위안이 되더군요. 당나귀처럼 큰 귀를 가진 경문왕의 비밀을 복두쟁이가 혼자만 간직했을 땐 시름시름 앓았지만 아무도 듣지 않는 대나무 숲을 향해 외쳤을 때 비로소 그 병이 나았던 것처럼 저도 비밀 블로그에 고민을 털어놓으니 내면의 병이 차츰 나았습니다.

그리고 중요한 건, 비밀 블로그에 그날 느낀 감정을 솔직하게 기록하면서 진짜 제 모습을 인정하게 되었다는 점이었어요.

미국의 저명한 심리학자 토리 히긴스의 '자기 불일치 이론'에 따르면 인간은 세 가지 모습으로 이루어져 있다고 합니다. 자신의 실제 모습인 '실제적 자기'와 자신이 되고 싶고 소망하는 모습인 '이상적 자기', 그리고 되어야만 한다고 생각하는 모습인 '당위적 자기' 말입니다.

이 세 가지 '자기'의 모습이 모두 우리를 표현합니다. 하지만 실제적 자기와 이상적 자기가 일치하지 않을 때는 불만족스럽고 우울한 정서를, 실제적 자기와 당위적 자기가 일치하지 않을 때는 불안과 죄책감 같은 정서를 경험하게 된다고 합니다.

질문하신 분은 남들에게 보여지는 당위적 자기와 실제 자기 사이의 간극이 커 그 간극 사이에서 받는 스트레스가 많은 듯 보입니다. 타인의 시선이 두려워 고민을 말하기가 꺼려진다면, 혼자 고민을 정리하고 마음의 짐을 내려놓을 수 있는 수단을 찾아보는 건 어떨까요? 실제적 자기, 이상적 자기, 당위적 자기가 모두 다른 건 자연스러운 현상이지만 그 격차가 크면 클수록 스스로가 받는 심리적 압박이 훨씬 더해질 겁니다. 혼자서 고민을 정리해본 후 남들이 보는 내 모습과 진짜 내 모습이 충돌하는 부분을 객관적으로 들여다보면서 자신을 인정하고 그 격차를 차츰차츰 줄여나가길 바랍니다.

생각보다 훨씬 괜찮았어요

남들은 다 맛있다고 하지만 본인은 끔찍이 싫어하는 음식이 있을 겁니다. 그리고 싫어하는 이유는 대개 그 음식과 관련한 과거의 안 좋았던 경험 때문인 듯합니다.

저에겐 그런 음식이 가지와 국수입니다. IMF와 맞물린 초등학생 시절, 한창 아나바다(아껴 쓰고 나눠 쓰고 바꿔 쓰고 다시 쓰기) 운동이 성행할 때 급식을 남긴다는 건 있을 수 없는 일이었어요.

저는 가지 특유의 물컹거리는 식감이 불쾌했고, 라면보다 심심하고 빨아들이는 맛도 시원찮았던 국수 역시 좋아하지 않았습니다. 그런데 어느 날 급식에 공교롭게도 두 음식이 겹쳐 나왔어요. 다른 맛있는 반찬들과 함께 배불리 밥을 먹은 저는 국수와 가지만 남은 식판을 들고 배식구로 갔습니다.

그러자 음식을 남겼다며 선생님의 불호령이 떨어졌고, 식사 시간이 한참 지나 아무도 없는 식당에서 닭똥 같은 눈물을 뚝뚝 흘리며 억지로 가지와 국수를 삼켰던 기억이 납니다.

그 후 가지와 국수만 보면 그때의 기억이 잔상처럼 떠올라 두 음식을 자연스레 피하게 되었어요.

영어회화 종일반에 다닌 지 몇 개월이 지났습니다. 처음엔 말도 잘 안 나오고 입을 열 때마다 얼굴이 빨개졌지만 이제는 단어나 문법을 잘 모르더라도 제가 가지고 있는 단어들을 총동원해서 의미를 전달하는 게 그렇게 어렵지 않습니다. 참 배우길 잘했다는 생각이 들어요.

다른 반에 제 할아버지뻘의 어르신이 계십니다. 구김 하나 없는 셔츠, 각 잡힌 바지를 즐겨 입는 아주 트렌디한 어르신입니다. 학원 특성상 평균 연령대가 20대 중후반이라 저도 처음엔 적응하느라 조금 애를 먹었습니다. 어르신은 저보다 훨씬 더 힘드실 것 같았어요. 아무리 영어에 존댓말과 반말의 경계가 없다고 하더라도 나이 차이가 너무 많이 나면 같이 어울리기가 쉽지 않으니까요.

2개월 정도 먼발치에서 어르신을 지켜봤는데 안타깝게도 제 예상이 적중했습니다. 어르신이 학원 복도를 지나가면 갑자기 정적이 흐르고 학생들이 공손해집니다. 저라도 말동무가 되어드리고 싶었지만 괜한 오지랖을 부리는 게 아닐까 싶어 속으로만 생각하고 행동으로 옮기진 못했습니다.

어느 날 점심시간에 밥을 먹고 모처럼 시간이 나서 학원 근처를 걷고 있었습니다. 그런데 어디선가 영어가 들렸습니다. 본능적으로 옆을 돌아보니 놀랍게도 그 어르신이었습니다. 귀에 이어폰을 꽂고 영어 문장을 반복해서 따라 하고 계셨어요.

학원에서 연습하면 괜히 학생들이 불편해할까 봐 혼자 나와서 말하기 연습을 하고 계시는 모양이었습니다. 낯선 환경에서 새로운 것에 도전한다는 선택이 정말 쉽진 않았을 텐데 영어에 대한 두려움을 극복하려고 노력하시는 모습에 많은 감동과 자극을 받았습니다.

최근에 친구의 추천으로 가지볶음을 먹었습니다. 평소 같았으면 입에 대지도 않았겠지만, 어르신의 노력을 본 뒤로 저도 한번 도전해보고 싶은 마음이 들었어요.

생각보다 훨씬 괜찮았습니다. 끔찍이 싫었던 물컹한 식감이 오히려 가지의 맛을 돋워주더군요.

누구에게나 괜히 두렵고 하고 싶지 않아 이리저리 변명거리를 만들고 핑계를 대며 차일피일 미루는 가지와 국수 같은 대상이 있을 겁니다. 그런데 막상 시작해보면 충분히 우리의 역량으로 소화

가능할 때가 많습니다. 우리는 우리가 생각하는 것보다 더 많은 잠재력을 지닌 사람들이니까요. 하지만 시간이 지날수록 그것들을 극복하고 이겨낼 기회의 문은 조금씩 좁아지는 것 같아요. 그러니 생각만 하고 끝내지 말고 행동해보길 바랍니다. '못 할 수밖에 없었던' 수많은 변명거리가 '해야만 하는' 이유로 치환될 때 여러분의 인생도 훨씬 다채로운 찬란함으로 빛날 거예요.

인생이라는 캔버스 앞에 선 풋내기 화가

2016년 9월, 저는 친구와 4박 5일 동안 속초에서 부산까지 무전여행을 했어요. 어릴 때부터 꿈만 꿔왔던 무전여행을 행동으로 옮긴 계기는 별것 아니었습니다.

'지금 아니면 절대 못 하겠다.'

그렇게 휴가를 쓰고 4박 5일 계획을 세워서 친구와 속초에서 만났습니다. 일인용 텐트도 준비하고 히치하이킹을 잘하기 위해 스케치북과 사인펜도 준비했습니다. 여행이 시작되기 전엔 둘 다 의욕이 넘쳤어요.

그런데 막상 히치하이킹을 하려고 하니 아무도 신경 쓰지 않는데도 괜스레 부끄럽고 민망하더라고요. 얼굴을 가리고 소극적으로 30분 정도 거리에 서있었을까요, 1톤 포터 한 대가 저희 앞에 멈췄습니다.

"어디 가유?"

그렇게 그 아저씨와 함께 강릉까지 내려가며 소소한 이야기를 나눴습니다. 그날의 대화를 전부 기억할 순 없지만, 그 아저씨가 했던 말 중에 유독 기억에 남는 말이 있습니다.

"나도 학생들만 할 때는 무전여행 꼭 해보고 싶었는데……."

아저씨는 가슴속에만 간직하고 있던 꿈을 허접하지만 용기를 내어 도전하는 저희에게 30년 전의 자신을 투영한 듯 보였습니다. 그리고 꼭 저 학생들이 계획대로 무전여행을 마쳤으면 좋겠다는 마음으로 저희를 도와주셨겠죠.

"학생들, 저는 강릉까지만 데려다줄게요. 힘들더라도 절대 포기하지 말고! 잠시였지만 만나서 반가웠어요."

아저씨의 따뜻한 응원에 힘입어 나중에는 히치하이킹도 천연덕스럽게 하고, 지친 몸을 회복하려고 사거리에서 기운차게 피티체조도 하게 됐습니다. 그리고 영월에서 저희를 태워준 형님에게 삼겹살과 소주도 얻어먹으면서 별다른 어려움 없이 무전여행을 잘 마칠 수 있었습니다.

무전여행을 시작하기 전에는 걱정이 무척 많았습니다.

'날씨가 너무 춥진 않을까?'

'남들에게 피해를 주는 건 아닐까?'

생각하면 할수록 하지 말아야 할 이유가 생겨났어요. 그런데 일단 상황에 스스로를 내던져보니 제가 했던 걱정들은 아무것도 아니더라고요. 그리고 꿈만 꿔오던 것을 실현했다는 뿌듯함과 제가 이룬 성취들이, 저를 인생이라는 큰 종이에 행복이라는 그림을 조금씩 그려나가는 풋내기 화가로 만들어주지 않았나 싶습니다.

모두가 처음부터 종이에 행복을 그릴 순 없겠죠. 실패, 불안, 암담, 우울과 같은 그림도 그릴 수밖에 없습니다. 하지만 부정적인 그림을 그리기 싫어 아무 그림도 그리지 않는다면 결국 내 인생의 흰 종이는 아무것도 채워지지 않은 채 다른 사람의 그림으로 뒤덮이지 않을까요?

힘들더라도 스스로 흰 종이에 물도 쏟아보고 이상한 색깔도 칠해보며 나만의 그림을 그려봤으면 좋겠습니다. 저도, 여러분도 그렇게 한 장 한 장 종이를 그림으로 채워나간다면 결국에는 누구보다 독창적인 화가가 될 수 있지 않을까 합니다.

어떻게 살아야 잘 사는 걸까?

영화 〈어메이징 메리〉의 주인공 메리는 천재 수학 소녀입니다. 메리의 어머니 다이앤 역시 일곱 개의 밀레니엄 문제 중 하나를 풀 정도로 천재적인 수학자였습니다. 하지만 다이앤은 다음 문제를 풀다 자살이라는 극단적인 선택을 하게 되는데요.

그 문제는 바로 '다음엔 뭘 해야 하지?'였습니다.

어떻게 살아야 잘 사는 걸까? 이 문제는 굉장히 철학적입니다. 수학처럼 정확한 답이 떨어질 수 없죠. 그리고 수학자였던 다이앤은 이처럼 답이 없는 문제를 견디지 못했습니다.

우리는 살아가며 수없이 많은 문제들에 부딪힙니다. 그런데 그 문제들은 누군가 이미 답을 정해놓은 경우가 많아요.

고등학교 때는 좋은 대학에 가기 위해 공부를 해야 한다고, 좋은 직업을 가지려면 좋은 학교에 가야 한다고, 돈을 벌어 결혼에 필요한 자금을 모으기 위해 좋은 직장을 가져야 한다고 이미 정해진 문제와 답이 존재합니다.

물론 자신만의 답을 찾아낸 사람도 있지만 상당수의 사람들은 비슷한 생각을 할 겁니다. 그런데 제일 중요한 걸 간과하고 있는 것 같아요. 이 질문에는 '내'가 빠져있다는 겁니다.

그 답이 진정 내가 원하는 건지, 아니면 누군가의 욕망을 충족시키는 건지 잘 생각해봐야 해요.

평생을 다 바쳐 풀어낸 수학 난제 앞에서 더 이상 뭘 해야 할지 몰라 스스로 삶을 마감한 다이앤처럼 세상이 정해준 목표를 다 이뤄놓고도 인생이라는 마라톤에서 탈진해 쓰러져버린다면 그것만큼 슬픈 일은 없겠죠.

그러니 역설적으로 답이 없는 문제를 계속 마주해야 합니다. 그리고 그 문제 속에서 나만의 답을 찾아야겠죠. 넘어지고 다치더라도 천천히 나만의 답을 찾는다면 어떤 역경이나 고난이 찾아오더라도 다시 일어날 힘을 갖게 되리라 믿습니다.

우리의 인생은
헌법이 아닙니다

처음 춤을 배울 때 "그거 딴따라들이나 하는 거야. 영어공부나 해"라며 만류하던 사람들이 있었습니다. 왜 영어공부를 해야 하는지에 대한 근본적인 이유는 설명해주지 않은 채요. 이 사람들에겐 '남들이 하니까 나도 해야 한다'는 믿음이 있었을 테고, 사회 초년생에다 어수룩해 보이는 인생 후배에게도 그 사실을 알려줘야겠다는 신념이 뿌리 깊게 박혀있었을 겁니다.

하지만 전 제 마음이 가는 대로 행동했고, 다행히 그 경험은 사람들이 얘기하는 것과 달리 너무나도 유익하고 재미있었습니다. 그때 춤을 배우면서 뼈저리게 느낀 사실이 하나 있습니다. '타인의 조언과 걱정에 휩쓸려 아직 일어나지 않은 일을 두려워하고 겁먹지 말자. 내 가슴이 시키는 대로 하자'라고요. 그 후로 정말 '과감한' 경험을 통해 많이 배우고 성장해왔어요.

저의 20대를 돌아보면 잘못된 선택들을 하긴 했지만, 온전히 제 의지로 한 것이기 때문에 조금도 후회하지 않습니다. 데이터가 생명인 4차 산업혁명 시대에 선택의 데이터를 많이 모았다고 생각하거든요.

"너 이제 서른이야, 취직하고 마음 잡을 때도 되지 않았니? 네 또래 애들 봐봐. 다들 정신 차리고 회사 잘 다니고 돈 꼬박꼬박 모으잖아."

"도대체 넌 뭐 하나 끈덕지게 하는 게 없냐. 그래서 뭘 하겠다는 건데?"

마음이 시키는 대로, 주변의 시선이나 평가에 굴하지 않겠다고 단단히 다짐해도 풍선과 같은 우리의 마음은 자신감이라는 헬륨가스로 하늘 높이 올라가다가 가시 돋친 말에 한순간에 터져버립니다. 그리고 자신의 가능성을 제한해버리죠.

우리는 때론 타인의 시선이라는 암묵적인 규정과 절차로 자신을 옭아매기도 해요. 그리고 나중에 후회하죠.

'그때 그걸 했어야 했는데…….'

'내 가슴이 시키는 대로 살아볼걸.'

우리의 인생은 헌법이 아닙니다. 지켜야 할 규정과 절차가 없어요. 그러니 내 뜻대로 살면 됩니다. 인생은 여행입니다. 계획대로 살 수 없어요. 때론 정처 없이 떠돌기도 하고, 때론 한곳에 머물러 커피 한잔하며 풍경을 감상할 수도 있는 거죠. 그러니 너무 불안해하지 마세요.

건강하고 도전적인 분이라면, 건강하고 도전적인 가치관을 가진 사람들과 시간을 보내고 꿈을 공유하세요. 저 높은 벽 너머 미지의 세상을 혼자는 볼 수 없더라도 누군가가 목말을 태워준다면 새롭고 설레는 풍경에 다다를 수 있을 겁니다.

나의 믿음은 다른 사람들의 의심보다 강합니다.
후회하지 말고, 인생이라는 연회를 즐깁시다.
여러분만의 인생을 살길 바라요.

오늘만큼은 내 편이 되어주기로 했다

초판 1쇄 발행 2020년 7월 1일
초판 8쇄 발행 2021년 11월 25일

지은이 권민창

편집인 이기웅
책임편집 한의진
편집 주소림, 안희주, 김혜영, 양수인
디자인 MALLYBOOK 최윤선, 정효진
책임마케팅 정재훈, 김서연, 김예진, 김지원, 박시온, 류지현
마케팅 유인철
경영지원 김희애, 최선화
제작 제이오

펴낸이 유귀선
펴낸곳 ㈜바이포엠
출판등록 제2020-000145호(2020년 6월 10일)
주소 서울시 강남구 테헤란로 332, 에이치제이타워 20층
이메일 odr@studioodr.com

ISBN 979-11-970230-3-3 (03810)

스튜디오오드리는 ㈜바이포엠의 출판브랜드입니다.